SYMBIA

# ¿CONOCES TU PROPÓSITO?

## CUANDO TE FALTA ALGO, AUNQUE LO TIENES TODO

Este libro fue escrito con el propósito de activar
e inspirar a que las personas se atrevan a vivir
una vida plena, ligada al plan de Dios para ellas.

¿Conoces tu propósito?
Cuando te falta algo, aunque lo tienes todo.

Library of Congress: T Xu 2-238-185

Paperback ISBN: 978-1-7365549-0-6
Hardcover ISBN: 978-1-7365549-3-7
Audiobook ISBN: 978-1-7365549-1-3
e-book ISBN: 978-1-7365549-2-0

Edición: Gisella Herazo
Diseño: Nodelis-Loly Figueroa
Diseño para Amazon: María Ruiz (Marema Designs)

 www.symbiadiaz.com
hola@symbiadiaz.com

Constantemente buscamos conocer el diseño, propósito y encomienda en nuestra jornada de vida. Desde pequeños, buscamos la validación en los demás y nos aferramos a las opiniones de quienes pensamos que nos aman sin condición, para sentirnos aceptados y plenos. En el camino de la vida comenzamos a sentirnos vacíos e incompletos, porque buscamos saciar el deseo de nuestro corazón en el lugar equivocado. Saboteamos nuestras emociones, nos sumergimos dentro de nuestro deterioro emocional por no conocer a Aquel que puede darle sentido a nuestra vida, pues solo Él nos conoce en verdad. Como dijo David en el Salmos 139:1-2 **«Señor, tú me examinas, tú me conoces. Sabes cuándo me siento y cuándo me levanto; aun a la distancia me lees el pensamiento».**

    **¿Conoces tu propósito?** captura la esencia del deseo humano de poder encontrarse a sí mismo, pero no de acuerdo con la óptica humana; sino desde la óptica de Dios. Esa perspectiva divina que nos alumbra el camino, sacia nuestra sed, calma nuestra hambre y nos da vida en abundancia. Este libro te reta a vivir tu vida con intención, enfoque y dirección. A través de sus letras somos llamados a conocer, reflexionar y accionar. A conocer a Dios, quien nos da identidad y sacia nuestras sequías; a reflexionar sobre Su gracia, favor y amor incondicional; y a accionar conforme a Su plan perfecto. Lo alcanzarás a medida que busques descubrir el diseño de Dios para tu vida.

    ¡Te invito a deleitarte en Dios, en Su Palabra y en este hermoso escrito que edificará tu vida y te llevará a otro nivel!

Dra. Dórily Esquilín
Marriage Coach, Speaker, Empresaria
Autora de Sonríele a la vida a través de la neblina
Florida, EU

Inspirador. Creativo. Transformador. Acabo de terminar el libro **¿Conoces tu propósito?** y estoy sollozando. Por muchos años luché con encontrar ese algo que me faltaba. No podía descifrarlo por más que intentaba encontrarlo. Me preguntaba por qué me pasaban todas las cosas que estaba viviendo y buscaba la respuesta en los lugares equivocados. Tomaba malas decisiones que me llevaban a vivir las duras consecuencias de mis actos, para luego preguntarme el porqué de las cosas.

**¿Conoces tu propósito?** es el libro que necesitas leer para encontrar ese algo que te falta, aunque, materialmente hablando, lo tengas todo. ¡Gracias, Symbia! Tu libro ayudará a muchas personas a encontrar eso que les falta, porque con él apuntas a Jesús a cada alma que lo lee.

Sarinette Caraballo Pacheco
Coach, Speaker, Empresaria
Autora de Dios en las redes sociales
Arkansas, EU

En un mundo que pide a gritos definición de propósitos, este libro llega a ser un mapa de ruta. Me ha encantado descubrir los matices que esta obra contiene, en donde se combinan magistralmente la enseñanza prometida en su título, la Palabra de Dios con explicaciones geniales, y un poco de la historia detrás de las aplicaciones compartidas. Symbia no asume nada; sino que nos va llevando a través de definiciones que nos ayudan a conectar con una cantidad de evidencias bíblicas que nos dejarán asombrados, sabiendo que Dios ya todo lo sabía. Él conocía que necesitábamos una guía, y por eso, para cada tema en la vida y para cada propósito a alcanzar, dejó explicaciones vastas.

A medida que avanzas en estas páginas, te encontrarás haciendo inventario de donde estás para poder saber a dónde vas, y descubrirás que este no es un libro para leer; sino para vivir. Aprenderás que solo tu determinación, firmeza y responsabilidad podrán ayudarte a acercarte a esa voluntad divina que va acorde con tu diseño original.

Felicito a Symbia por poner de forma tan ordenada y orgánica un libro profundo y que promete ser referencia a nuestras vidas en cada etapa a vivir. Disfruta la lectura y decide hoy comenzar a descubrir tu propósito.

Elsa Ilardo
Speaker, Empresaria
Autora de Mi tabla de salvación
Florida, EU

*El principio de ser...*

En el principio fueron creados los cielos y la tierra. La tierra se encontraba vacía y sin forma, pero el Padre decidió hacer una obra maestra para rescatarla... y a mí, me encanta.

La hermosura de la naturaleza responde a la orden que un día recibió de su Creador. Puedo imaginarlo en su proceso creativo dándole color y propósito a todas las cosas, creando cada detalle con una función y entrelazando cada uno de ellos para que produzcan colectivamente un bien.

Todo lo creado tiene un significado que expresa Su amor y funciona en armonía. Ningún elemento se pregunta si puede cumplir la tarea que le fue encomendada; simplemente responde a su esencia y actúa.

Cuando conoces tu propósito sucede lo mismo: atiendes a la voz del amado de tu alma, esa voz que desde el principio te dio aliento de vida. Entonces, todo en ti cobra sentido y caminas confiado en medio de un mundo caído.

El principio de ser te lleva a descubrir tu origen, y una vez lo haces, puedes avanzar en la dirección que el Padre ya señaló para ti.

La creación en su esencia es vida. La palabra que le dio forma en el principio, hoy continúa tras el susurro de su Creador, cumpliendo su propósito hasta llegar hasta ti. Porque así como todo lo creado conoce su función y da fruto, tu vida entrará en armonía y florecerá.

*Symbia*

*Dedicatoria*

L e dedico este libro a mi Señor Jesús por su amor, paciencia y guía en el proceso de descubrir la razón de mi existencia. Esta obra, precisamente, marca el cumplimiento de Su voluntad en el destino que ya estaba trazado para mí. Gracias Señor, porque nunca te rendiste conmigo y siempre me has cumplido. Tu amor ha sido más fuerte en mi vida que mis propios deseos. Todo te lo debo a ti.

Lo dedico también a mi querido hijo, Caleb José. Tu amor, valentía y corazón de conquistador me inspiran. Viniste a este mundo con un propósito, eres un gran niño y serás un gran hombre de Dios. Me has enseñado mucho con tu sonrisa, tus ocurrencias y con cada pregunta que, en ocasiones, he tenido que volver a estudiar para contestarlas. Me llenas de orgullo.

Te amo, hijo. Eres único y especial, un regalo de Dios enviado del cielo con una misión que muy pronto descubrirás.

# Agradecimientos

Cuando veo el trabajo final de este libro solo puedo mirar al cielo y decir: ¡Gracias! ¿Conoces tu propósito? nació en el corazón de Dios con el fin de activar a aquellos que están en busca del significado de sus vidas. Le doy las gracias al Señor por hacerme un instrumento para bendecir y expandir su voluntad aquí en la tierra.

Agradezco a mi mamá por creer y confiar en los planes de Dios para mi vida. Gracias por tu apoyo y amor en todo este tiempo. Te amo.

Por último, honro a mi tío Jorge por ser el pilar que Dios puso en mi vida, desde pequeña, para conocer al amado de mi alma. Eres un gran hombre de Dios y vivo agradecida por todo lo que sembraste en mí. Te amo.

# Índice

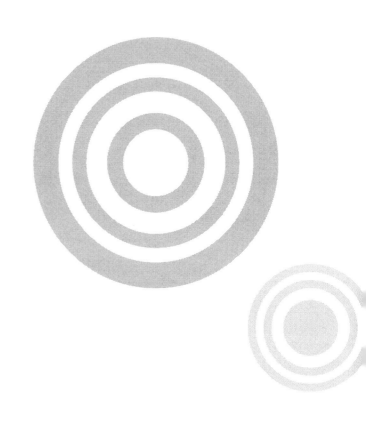

# Prólogo

**E**l ser humano se hace muchas preguntas existenciales que solo encuentran respuesta en una persona: Jesús. Quien carece de propósito no tiene dirección y es más propenso a caer en depresión. Es por eso por lo que necesita preguntarle a Su Creador para qué nació, de dónde vino y hacia dónde va. Las respuestas a todas esas interrogantes le darán sentido de utilidad, pertenencia y propósito. Por el contrario, si no hay claridad en ellas, estará buscando respuestas en lugares equivocados.

Creo profundamente que cuando una persona abraza la verdad de que Dios tiene un plan con su vida, todo, absolutamente todo, cambia. La esperanza se levanta, el ánimo caído toma fuerzas e incluso los errores del pasado quedan atrás. Quien descubre esa verdad comprende que tiene un futuro maravilloso esperando por él, y es así como puede tomar consciencia de que cada decisión, día a día, le puede acercar al cumplimiento de ese gran propósito.

Dios no nos ha traído a esta tierra para sufrir. Si bien es cierto que la vida está llena de desafíos; también lo es, que todos ellos son superados cuando conocemos nuestra esencia como hijos de Dios y somos conscientes de quién es nuestro Padre. El tener una identidad clara da un mayor panorama de lo que nos merecemos y de aquello que ya Dios ha determinado darnos por Su gracia y amor.

Una persona que conoce quién es y qué puede hacer, es alguien que se empodera desde su verdad espiritual y que será imparable ante los retos de este mundo, pues conoce que por la gracia de Dios es más que vencedora.

Es maravilloso el tema que Dios ha inspirado en Symbia. Ella, sin duda, es una mujer que ha escuchado de parte del corazón del Padre el gran anhelo de que las nuevas generaciones puedan tener una revelación de lo que es el propósito en sus vidas. Sé que a lo largo de cada página encontrarás esperanza, dirección y una respuesta clara a la pregunta: ¿cómo saber mi propósito?

Es mi deseo que disfrutes el gran viaje de la lectura y que el propósito de Dios sea revelado a tu corazón. Estoy segura de que vas a encontrar muchas respuestas en cada página. Decide disfrutar este hermoso viaje.

Gracias, Symbia, por darnos el regalo de este libro. Este gran legado impactará generaciones.

Y a ti, querido lector, quiero recordarte que no eres producto de la casualidad. No importa si tu nacimiento fue planeado o deseado por tus padres terrenales o no; naciste porque Dios lo permitió y, sin duda, hay planes hermosos esperando por ti.

Eres una persona con propósito y tienes más futuro que pasado. Te comparto mi versículo favorito, el cual nos recuerda, cada día, que Dios sigue teniendo un plan con nuestras vidas y que delante de nosotros hay un futuro lleno de esperanza:

*«Porque yo sé muy bien los planes que tengo para ustedes, afirma el SEÑOR, planes de bienestar y no de calamidad, a fin de darles un futuro y una esperanza». (Jeremías 29:11)*

**Stephanie Campos**
**Life Coach, Conferencista, Autora**

No hay regalo más grande
que puedas dar o recibir
que honrar tu llamado.

Es el porqué de que hayas
nacido y cómo llegas
a estar verdaderamente

# VIVO

Oprah Winfrey

# Introducción

*«Antes de formarte en el vientre, ya te había elegido; antes de que nacieras; ya te había apartado...». (Jeremías 1:5)*

¿Alguna vez te has preguntado cuál es la razón de tu existencia? ¿Vives una vida plena entendiendo que lo que tú representas es exactamente lo que haces? ¿Te levantas cada mañana con la energía, el ánimo y la certeza de estar cumpliendo el propósito por el que viniste a este mundo? ¿Conoces el plan de Dios para ti?

Dios no crea por casualidad. Hace a todas sus criaturas a propósito, con un propósito y para un propósito. Termina todo lo que comienza, no hace cosas a medias, ni las repite. Y aunque no lo conozcas o no lo creas, tienes un propósito en esta tierra que es tan único como tú.

Si todo esto te ha dejado pensando y entiendes que no estás viviendo una vida en el pleno conocimiento de la voluntad de Dios, este libro es para ti. Cada palabra nació en Su corazón, con el propósito de activarte para que camines según Su voluntad, con la confianza que tu Padre Celestial cuida de ti, aun en los tiempos más oscuros de tu vida.

Vivimos en un mundo muy acelerado, lleno de distracciones, muchas de ellas aparentemente buenas, pero que en realidad solo te desvían de la voluntad de Dios. Por eso, para llegar al entendimiento claro de Su verdad, necesitas conocer los códigos del Reino, esos principios básicos pero profundos, que se convertirán en la llave que necesitas para entrar en comunión con tu Creador y con la que podrás establecer una nueva cultura que te lleve a conquistar tu lugar como hijo.

Este libro fue escrito desde una perspectiva de amor, como cuando un padre da instrucciones a sus hijos para que escojan siempre el camino correcto. Son palabras que, poco a poco, penetran y construyen una estructura firme en el corazón, que ni los vientos, ni las aguas pueden desviar.

Mientras más conozcas a Dios en intimidad y le busques continuamente, más allá de la costumbre, la rutina o la religión, sentirás que te vas despojando de todo peso que no te corresponde y caminarás en libertad, en función a tu llamado.

¿Sabes que eres muy importante para Dios? Tú representas una pieza clave en el rompecabezas de su Reino. Conéctate y vive. Sé parte de la respuesta a un mundo en oscuridad que grita por redención.

## La importancia de auto descubrirse

Tal vez puedes pensar que un título universitario o una carrera prominente define quién eres. Trabajas incansablemente tras ese fin y te afanas por dar lo mejor de ti, porque de alguna forma sientes que eso te representa.

Si bien es cierto que es necesario estudiar y trabajar en aquello que te has propuesto, es mucho más importante hacerlo con el entendimiento claro de tu identidad. De lo contrario, puede llegar el tiempo donde incluso el éxito te sepa amargo. Ese es el momento en el que descubres que te falta algo, aunque lo tienes todo. Comienzas a buscar, en cosas materiales y en personas, la forma de llenar ese vacío que jamás será saciado, porque la fuente de vida es Cristo.

Por otro lado, puede que seas del grupo de personas insatisfechas con la vida porque tu realidad no representa lo que siempre soñaste. Tal vez tienes muchas interrogantes y piensas que tu tiempo ya pasó. Asumes que tienes que conformarte con quien eres y lo que representas en el mundo desde tu punto de vista. Y yo te entiendo. Pero también sé que toda persona, sin importar clase social ni religiosa, que no haya experimentado la plenitud que proviene del Espíritu Santo, en tiempos de búsqueda profunda para conocer a Dios, caminará errante por la vida.

La buena noticia es que nunca es tarde para un nuevo comienzo. Solo necesitas determinación, confianza y la decisión de aceptar la ayuda que viene de Él para que, con paciencia, descubras el misterio de Su voluntad y tu asignación divina aquí en la tierra.[1]

El Padre te ha regalado una garantía hermosa: la promesa del Espíritu Santo. Con ella te muestra que, antes de la creación del mundo, fuiste diseñado y bendecido por Dios. Eres parte de un linaje escogido, real sacerdocio y nación santa. Necesitas creerlo porque, aunque tu principio haya sido difícil, tu final puede ser glorioso, si así te dispones a que sea y lo buscas de todo corazón. Solo necesitas poner atención y buscar en la fuente correcta.

No te rindas. Sé persistente hasta que descubras cuál es tu razón de ser. Alínea tu voluntad y tus planes a la voluntad de Dios. Examina con honestidad y humildad tu vida

---

1    Ver Efesios 1:3-14.

y el camino que llevas, y atrévete a conquistar el sueño de Dios para ti.

En estas páginas te acompañaré en un viaje, a través de la Biblia, para que puedas entender cuán importante eres y tomes la decisión de hacer la diferencia en este mundo.

Tú y yo somos parte de un cuerpo, en donde cada pieza necesita cobrar vida, para que unidos y fortalecidos llevemos las buenas nuevas de salvación, mientras haya tiempo. No podemos dar lugar a la pasividad, ni tampoco a caminar sin rumbo. Esto va a requerir poner a un lado el orgullo, y con sencillez de corazón recibir la instrucción del Espíritu Santo.

Puede que al principio sea algo difícil, pero confía en que Dios todavía te puede conectar con Su voluntad. Él espera que eches a un lado lo que crees de ti y le prestes atención para que haya un nuevo nacimiento.[2] Él hará Su parte, pero hay una acción que tú debes ejercer con perseverancia y determinación. Esto no significa perfección; significa obediencia.

Confío en que serás bendecido y lleno de Su gracia, para poder ver con claridad las enseñanzas del Padre. Eres un regalo de Dios en la tierra, enviado para que, junto al cuerpo de Cristo, le des cumplimiento a Su Palabra. No imaginas cuántas vidas puedes impactar, si te decides. No hay edad para tener un nuevo comienzo. Solo necesitas tu corazón tal como está, para que, en las manos del Padre, haya una transformación para vida eterna.

Cada vez que un hijo de Dios entiende lo importante que es en el Reino, y actúa en función a su llamado, hace la diferencia y deja el legado de Cristo en la humanidad.

---

2    Ibid.

Por eso, a través de esta obra, no solo encontrarás los principios que necesitas para hallar tu propósito, sino que también, al finalizar cada capítulo tendrás un plan de acción diseñado para ayudarte en tu proceso de introspección. En adición, como complemento a esta lectura, podrás descargar en mi pagina www.symbiadiaz.com plantillas para realizar tu plan de acción y una breve explicación del mismo, además de muchos otros recursos para que puedas implementarlo en tu vida. Si mi libro está en tus manos no es casualidad creo que tu vida puede ser transformada por el poder de nuestro Padre Celestial. Tómalo en serio y conquista tu destino. ¡Te bendigo en el nombre de Jesús!

*Symbia*

# ¿CONOCES TU PROPÓSITO?

CUANDO TE FALTA ALGO, AUNQUE LO TIENES TODO

# 1

# El comienzo del cambio

«Deja que hoy sea un nuevo comienzo,
sé lo mejor que puedas ser,
y llegarás a donde Dios
quiere que estés».
—Joel Osteen

R ecuerdo la primera vez que percibí la presencia de Dios en mi vida. Me encontraba sentada a media noche en la sala de mi apartamento, preguntándome cuál era la razón de ser de mi existencia. Había intentado muchas cosas en la búsqueda genuina de respuesta a mi vida, pero ninguna de ellas me dio resultado. En mi interior había mucho dolor, pero por unos instantes comencé a experimentar algo hermoso que me producía paz. Puedo decir que no era una emoción, porque precisamente las emociones que estaba viviendo eran todo lo contrario. Ese fue el inicio de una nueva temporada y del nacimiento de la mujer que soy; la que hoy puede decir que la plenitud en la vida existe y quiere manifestarse en ti también.

En lo natural, el nacimiento es un momento especial y anhelado, en donde los nuevos padres por fin disfrutan lo que por tanto tiempo han esperado. Es un tiempo de alegría y, a la vez, de expectativa y muchas preguntas sobre lo nuevo que vendrá.

De la misma manera, ocurre con tu nacimiento en el mundo espiritual y la semilla del propósito que llevas en ti. Puede que sientas esa incertidumbre que te lleva por un proceso de cuestionamiento mental y empieces a hacerte preguntas. Es normal porque tus ojos solo alcanzan a ver lo natural; pero, aunque en tu interior existe un deseo de vivir lo nuevo, solo te limitas a caminar y vivir por lo que conoces.

Sin embargo, hay mucho más allá. Te lo explicaré con una ilustración:

Tal como ocurre en la naturaleza, el hombre lleva dentro de sí una semilla con la capacidad de llegar a dar un buen fruto. Y no estoy hablando de la parte física; te hablo del buen fruto que le lleva a conquistar el destino por el cual fue creado y enviado a la tierra. Esta es la esencia que le caracteriza como ser humano y que, a su vez, complementa y bendice a sus semejantes.

Tú eres semilla en terreno fértil, donde la abundancia florece y todo lo que haces prospera. Pero es necesario que valores el regalo que cargas dentro de ti, para que puedas comenzar a vivir una vida plena. La voluntad de Dios es que lleves muchos frutos, que puedas disfrutarlos y que tengas dominio propio para obedecer. Necesitas estar dispuesto a caminar siguiendo la guía del Espíritu Santo, para el cumplimiento del plan de Dios en tu vida.

En el principio de la creación, Dios dijo la Palabra y dio una orden.[3] Desafortunadamente, Adán y Eva no cumplieron su propósito debido a la desobediencia. Permitieron que el engaño entrara en su corazón, aunque conocían y tenían las instrucciones claras de parte de Dios.

Entonces, ¿qué ocurre cuando no conoces quién eres, para qué fuiste creado y cuál es tu misión de vida? Sucede que la esencia de tu llamado queda oculta esperando por ser descubierta.

---

[3]   Ver Génesis 1:26-28; Romanos 8:18-23.

Cuando eres concebido y ocurre el milagro de la existencia, comienza tu proyecto de vida. Llegas como un embrión que va creciendo y formándose, día a día. Pero, desde antes que ocurriese ese momento, ya había una asignación del cielo para ti. Dios te amó y te puso una característica única y necesaria para hacer la diferencia en la tierra.[4]

Así como en el vientre hay un proceso de formación y crecimiento que no puedes controlar, también hay uno en tu vida, después del nacimiento, en el que se van estableciendo los principios y valores.

Por ejemplo, tú no tuviste el control de escoger el hogar donde te cobijaron en tus primeros años. Quizás fue uno estable donde el amor, la paz y la seguridad fueron impartidos; o tal vez, naciste en uno donde no tuviste la protección que esperabas, ni la enseñanza y el amor que necesitabas para emprender el viaje que estaba por empezar. Pero, cualquiera que haya sido tu principio, es importante que entiendas que fuiste creado por Dios con un propósito. Eres parte de la obra maestra del Espíritu Santo y eres necesario en el cuerpo de Cristo.

¿Qué ocurre cuando en tu niñez no eres instruido para descubrir el plan de Dios para tu vida? Eres formado por el sistema de creencias del entorno que te rodea. Este entorno está compuesto, entre otros, por la familia, la sociedad, el sistema educativo y el gobierno, quienes, en la mayoría de los casos, se centran en que solamente puedes ser feliz si tienes una buena educación y generas muchos ingresos. Aquí es donde comienza el punto de desconexión en la humanidad, que, generación tras generación, se repite.

Este concepto de realización, aunque nace del buen deseo e intención del corazón de los padres, no está

---

4    Ver Jeremías 1:5; Salmos 139:16.

conectado al deseo y la intención del corazón de Dios. Vemos hijos infelices ejerciendo un estilo de vida que no disfrutan, aunque lo tienen todo. ¿Te ha pasado? ¿Alguna vez te has sentido así?

¿En dónde está el problema? En no trabajar el auto-descubrimiento, ese proceso en donde florecemos como seres humanos y caminamos, gustando cada detalle de la vida. Entonces nace una pregunta más: ¿cuándo hemos sido entrenados e instruidos en el camino del auto-descubrimiento, para cumplir el llamado de Dios?

Aunque pueda existir una desconexión entre el plan y la realidad, si tienes el deseo interno de descubrir tu verdadera identidad, estás en el momento perfecto para hacerlo. En Dios no hay tiempo cronológico; todavía tienes la oportunidad de tener un encuentro con la verdad. Creo firmemente en que las experiencias de vida que has tenido hasta ahora, se han convertido en la plataforma que Dios usará para levantar un futuro glorioso.

Sin embargo, a veces cuesta entender por qué solo unos cuantos logran conquistar el plan de Dios. Y es allí donde quiero que analicemos juntos. Trabajemos en el autoconocimiento y veamos qué cosas debemos cambiar o mejorar.

El primer paso es enfocarnos en calibrar nuestra vida e invertir tiempo en la presencia de Dios, conociéndole a Él primero, para luego entender nuestra misión. Debemos analizar nuestras intenciones y humillarnos, tal como somos, para recibir la bendición del Padre que es gratuita. El deseo ardiente del Señor es que Sus hijos entiendan su verdadera identidad, para que puedan ser efectivos en este mundo temporal. Somos enviados y entrenados para la eternidad, en donde el enfoque principal es Jesús.

Muy a menudo escuchamos personas decir:

- «No me gusta mi trabajo».
- «Estoy agradecido por el éxito que he logrado, pero me siento vacío».
- «Si tuviera la oportunidad de comenzar de nuevo haría otra cosa en mi vida».
- «Nada me satisface».
- «Mis amigos me dicen que tengo mucho talento; pero creo que solo lo hacen porque son mis amigos».
- «Tengo que pagar mis cuentas; hago lo que sea para ganarme la vida».
- «No nací en una familia que me ayudara a desarrollar mis talentos y creyera en mí».

Así podríamos seguir mencionando muchos más comentarios y probablemente te identifiques con uno o más. Sin embargo, muchos de ellos, no son otra cosa que lo que yo llamo: «excusas disfrazadas de piedad» o autocompasión y su resultado solo es el humanismo; pero no, la naturaleza celestial.

Cuando analizamos la raíz de cada excusa que el ser humano se brinda a sí mismo, encontramos que tienen como factor común la falta de conocimiento y la incapacidad de asumir la responsabilidad de sus acciones. Por eso, uno de los primeros puntos que tenemos que desenmascarar para trabajar y cambiar, es la semilla del deseo y la curiosidad por la autosuficiencia e independencia de Dios, tal como lo vemos en Génesis 3.

En ese pasaje se nos muestra que Adán y Eva se encontraban disfrutando de la plenitud y la vida que habían recibido del Padre, desde el día que fueron creados. Pero, la voz equivocada, la mentira disfrazada de verdad, logró convencerlos de que necesitaban sabiduría para ser como Dios y conocer el bien y el mal. Poco a poco, ellos creyeron lo incorrecto hasta que se dieron cuenta de que se encontraban fuera de la cobertura y la instrucción establecida.

Desde la caída del hombre, existe una inclinación en el ser humano a realizar todo aquello que a sus ojos sea apetecible, sin importar el costo. La ambición es un engaño que le seduce para alcanzar lo que, precisamente, ya posee en su interior. Por eso, quien cree tomar las riendas de su vida y solo alimenta el deseo desenfrenado de cosas que no producen buen fruto, al final se encuentra en una emboscada y un callejón sin salida. Un día quiere regresar al punto de partida y no encuentra el camino, porque en muchos casos ya es muy tarde.

No me malinterpretes, creo que, sin importar la edad, mientras haya vida hay esperanza y oportunidad para un nuevo comienzo; pero, también creo que el camino es más duro cuando estamos desconectados de la fuente correcta.

Quiero preguntarte algo: ¿crees que es posible conocer a Dios y vivir desconectados de Su voluntad? El escenario descrito en el pasaje que te mencioné anteriormente, nos lleva a pensar que la respuesta es sí, porque, **lo que desconoces que posees te seduce para llevarte a tomar las decisiones equivocadas.** Puede haber buena intención en tus ideales y decisiones, pero, precisamente, ese es el punto de desconexión entre la voluntad de Dios y el buen deseo de la voluntad del hombre.

También puede que pienses cosas, como: *«Si nací en una familia que no cree en Dios, ¿cómo es que Él me escogió, si yo nunca le he conocido?»*,o, *«He llevado una vida lejos de Dios y he hecho cosas malas. ¿Cómo es que me ama? No merezco tanta bondad».*

Pero yo hoy te invito a que no te descalifiques en el proceso de búsqueda y acercamiento a Dios. Él tiene la respuesta para ti, si le buscas de todo corazón.

Ahora cambiemos el planteamiento antes descrito, y repite en voz alta: *«Dios, anhelo fervientemente conocerte. Me acerco con humildad de corazón, confiando en que tú me escuchas y quieres lo mejor para mí, aunque represente soltar lo que hasta ahora he creído».*

Toma este tiempo para meditar en Su Palabra y en Sus promesas. Comienza a mirar a Dios desde una óptica y perspectiva diferente.[5] El Señor no te acusa por tus pecados presentes o pasados, ni aun por los ocultos, esos que solo Él y tú conocen. Al contrario, Él desea que los confieses y tomes tu posición como hijo. Jesús pagó un precio muy alto por ti. Fuiste perdonado y justificado por la sangre de Cristo.

No importa si sabes mucho o poco de Dios o qué tan lejos, incompleto o confundido te sientes, el primer paso es aceptarlo y reconocer que necesitas ser entrenado por su Palabra. Cuando lo haces con intención y propósito, tu meditación es transformada y tus pensamientos son estructurados para darte forma de acuerdo con tu identidad.

Es el deleite del Padre formarte a través de su Espíritu Santo. Él desea adornarte con su virtud porque te ama y saliste de Él.

---

5     Ver Hebreos 10:15-17, 13:20-21.

## En resumen

Cuando aceptas que eres portador de un tesoro único, dejas el terreno seguro y empiezas a conocer la virtud que hay en ti. Atrévete a encender la luz de tu interior y conviértete en faro de muchos que te rodean. El perdón está a la puerta de tu corazón llamándote para abrazarte y darte un nuevo sentido de propósito en la vida. Recuerda que nunca es tarde para un nuevo comienzo.

## Oración

*Señor Jesús, acepto tu perdón y tu bondad. Llena mi corazón de tu amor y transforma mis pensamientos. Ilumina los ojos de mi entendimiento para conocerte y entender el propósito de mi vida. ¡Creo en ti, Jesús!*

# Plan de Acción

Descubre tu nivel de satisfacción con tu vida

1.  Describe los ATRIBUTOS que te hacen único.

    _____

    _____

    _____

2.  ¿Cómo defines tu identidad?

    _____

    _____

    _____

3.  ¿Cuánto te amas?

    Mucho_____   Poco_____   Nada_____

4.  ¿Te falta algo en tu vida?

    Si_____   No_____

    ¿En cuáles áreas no estás satisfecho?

    ¿Qué crees que te falta?

    _____

    _____

    _____

5. ¿Llevas un estilo de vida de estrés excesivo y te sientes abrumado y ocupado todo el tiempo?

Si_____     No_____

6. ¿Sacas tiempo para DIVERTIRTE y DESCANSAR?

Si_____     No_____     Muy Poco_____

7. ¿Qué cosas crean un peso en tu vida y no te permiten avanzar?

_____

_____

_____

8. ¿Qué se podría MEJORAR en tu vida en este momento?

_____

_____

_____

9. ¿Estás listo para actuar y hacer cambios en tu entorno, hábitos y estilo de vida?

Si_____     No_____   Quizás_____

Complementa este plan de acción con los recursos que encontrarás en
www.symbiadiaz.com

# 2

# Entendiendo el proceso

«Pues Dios es quien
produce en ustedes tanto
el querer como el hacer para
que se cumpla su buena voluntad».
(Filipenses 2:13)

Cuando te encuentras con lo inesperado algo hermoso comienza a manifestarse en tu interior. Tus palabras no pueden expresar lo que tu corazón está sintiendo. Algo así fue lo que sentí cuando tuve mi primer encuentro con el Señor: mi boca se llenó de risa, empecé a disfrutar la esencia de la vida y volví a tener apetito por la comida, porque en mi falta de propósito, hasta eso había perdido. No quería salir de Su presencia y lo buscaba continuamente.

El momento en que aceptas a Jesús como tu único Salvador, es el primer paso que te conecta con la fuente de vida. Ocurre el milagro de la manifestación de Su gracia en donde eres llamado, perdonado y aceptado por Dios para ser luz en el mundo. Esos primeros años son fundamentales en la búsqueda del significado de tu vida, a través de la Palabra de Dios, con la ayuda del Espíritu Santo y conectándote con la iglesia, tu familia extendida.

Hay un proceso de transformación en el ser humano cuando tiene un encuentro con Cristo. Es el punto de partida, a partir del cual comienza a ser edificado. La Palabra dice que Él es la puerta y todo aquel que por Él entrare será salvo y no lo echará fuera. Esto es una metáfora que ejemplifica y expresa una promesa de seguridad y estabilidad para que te acerques con confianza.

Las puertas sirven para dar acceso, ofrecen protección y establecen límites. Muchas veces sentimos temor de dar el primer paso porque no sabemos con qué nos vamos a encontrar al otro lado. Pero entrar por la puerta correcta no debe ser un momento de parálisis; al contrario, es el momento de activar esa pizca de esperanza y fe que hay dentro de ti y te impulsa a aceptar lo nuevo. Ese deseo proviene de la semilla en tu interior que, aunque no lo entiendas, reconoce a tu Creador.

Cuando tomas la decisión de acceder, el Señor te enseñará el camino y comenzarás a ser entrenado en tu ser interior. Lo más hermoso es que podrás cerrar otras puertas que no te favorecen, que ni sabes que se encuentran abiertas y que te están privando de disfrutar la libertad que proviene de Él.

Te quiero mostrar una enseñanza fundamental que puedes encontrar referenciada en Mateo 3. Si ya conoces estos principios, aprovecha la oportunidad para volver a los inicios y reencontrarte con la esencia de Dios en ti.

## Confesión de pecados

Todo lo que se mantiene oculto opera en tu contra y no te permite vivir la verdadera libertad. La confesión es un acto de humildad que, a su vez, te libera de todo aquello que no produce bien en tu vida.

¿Alguna vez has escuchado (o dicho) la siguiente frase: *«No puedo callar más; esto me está consumiendo; no estoy tranquilo»?* Pues mira lo que dice el Salmos 32:3: *«Mientras guardé silencio, mis huesos se fueron consumiendo por mi gemir de todo el día».* La Palabra establece que es feliz aquel cuya transgresión es perdonada. Ningún ser humano en la tierra ha llegado al estado de perfección como para no cometer pecado; es por eso, que la confesión debe ser un proceso continuo de introspección, no un acto religioso.

Una de las prácticas que personalmente hago, es que, en mi tiempo de oración, analizo aquellas cosas que mi conciencia me trae a la memoria y las hablo, porque estoy consciente de que soy un ser humano. En adición, busco principios en la Palabra para aprender cómo debo manejar distintas situaciones cotidianas que me ayuden en el proceso de transformación de la mente. También, te recomiendo buscar una persona instruida en ayudar a la gente y de confianza, que pueda orar contigo y acompañarte en momentos específicos donde necesites estar confortado.

> El pecado produce vergüenza mientras que la confesión produce libertad.

La meta es eliminar el engaño que te hace errar, una y otra vez. Cuando percibas que estás cohibido de tomar decisiones en ciertas áreas de tu vida, haz un alto y pídele al Padre que te muestre la raíz del problema. Luego que seas perdonado, date la oportunidad de cantar y deleitarte con acción de gracias por el bien que has recibido y atesóralo.

# Bautismo en agua

Es un acto voluntario que demuestra públicamente tu arrepentimiento. Cuando decides bautizarte es porque tienes la convicción de que quieres ser purificado y das el paso de fe, como un acto simbólico, donde renuncias al estilo de vida que no te permite disfrutar de la verdadera vida que proviene del Padre y comienzas el proceso.

Yo lo hice a mis 21 años. Fue un momento íntimo y especial en donde, si te soy honesta, no tenía todas las respuestas reveladas; pero sí lo decidí por convicción, demostrando mi genuino arrepentimiento.

# Frutos que demuestren arrepentimiento

Se refiere a cuando decides renunciar, conscientemente, a todo aquello que te destruye y te reconcilias con tu Creador. Este es el punto más alto al que toda persona debe aspirar.

Ahora bien, el fruto tiene su tiempo de florecer. Si lo comparas con la siembra de una semilla sabrás que al principio no da fruto; pero, al tener contacto con la tierra, los nutrientes y el agua, poco a poco comienza a crecer hasta llegar a la temporada de producir fruto. Si te fijas bien, es un proceso natural y cíclico que se da en la naturaleza y es muy similar en el proceso del desarrollo del hombre. Cada persona se encuentra en diferentes temporadas y eso está bien. Por eso, lo que no debes hacer es compararte con otras personas y desesperarte en el proceso, porque lo más importante es guardar tu corazón, atesorando cada principio que te está dando forma en lo íntimo de tu ser.

Un ejercicio que es parte de mi vida y que quiero compartir contigo, es que cuando me expongo a la Palabra en la lectura y meditación de la misma, siempre tengo una libreta a mano. Allí escribo el principio que estoy aprendiendo y, aquí viene la clave, me esfuerzo por ponerlo en acción.

Esta es la verdadera reconciliación, donde las acciones basadas en la Palabra cobran vida en la práctica y no se quedan en un pensamiento o solo en la confesión. Pero siempre recuerda que estás siendo entrenado en la verdad y enseñado en el camino. ¡No renuncies!

## Bautismo en el Espíritu Santo

Sobre todas las cosas, anhela ser bautizado con su Espíritu Santo. Su función es enseñarte el camino que conduce a la verdad en tu proceso de transformación. Una de las enseñanzas que vemos repetidamente en la Biblia, es la exhortación a la transformación de la mente. En Romanos 12:2 dice: «*No se amolden al mundo actual, sino sean transformados mediante la renovación de su mente. Así podrán comprobar cuál es la voluntad de Dios, buena, agradable y perfecta*».

En el tiempo voluntario de búsqueda y acercamiento a Dios, es donde vas a descubrir cómo funciona su Reino y cuáles son los códigos establecidos en contraste a este mundo. Vas a encontrar cuál es tu función y el don que te han concedido, para que responsablemente lo utilices para la edificación de las personas. La Palabra nos enseña que las cosas espirituales se disciernen espiritualmente.

Esto quiere decir que el hombre puede intentar manipular muchas cosas, pero la mente de Dios revela las intenciones de los corazones. Cuando tienes esta óptica clara no huyes del Señor por lo que alguien más pueda hacer; más bien, permaneces por convicción. Este proceso te lleva a la madurez espiritual y estabilidad como ser humano.

El comienzo del proceso de transformación es la puerta de entrada que te revelará el camino. Es un tiempo hermoso en donde te ejercitas en los aspectos esenciales de la vida, y tu visión es ampliada. En ese camino seguramente tendrás momentos difíciles, pero en mi experiencia he aprendido que cada temporada produce mucho bien; aunque al instante no lo haya entendido. La perseverancia y la confianza en el amor del Padre serán la clave para permanecer.

**El objetivo de conocer tu propósito de vida es acercarte a tu origen;** a la plenitud de todas las cosas.

# Permanece intencionalmente

Imagínate en este contexto: Te encuentras (o reencuentras) con Dios, recibes una palabra de afirmación por Su parte que hace que tu fe y esperanza, con respecto al futuro, aumenten como nunca antes. Todo parece ir de maravilla; pero, de repente, entras en un proceso difícil en donde todas esas promesas parecen desvanecer. Tu primera y lógica reacción es preguntar: Si estoy buscando profundamente a Dios, entonces ¿por qué o para qué me está pasando esto? La respuesta, si es que hay una, suele ser: ¡No entiendo! Y créeme, comprendo bien lo que se siente, porque yo también he estado ahí.

Si estás o has estado en esa situación, intentaré responder a tu pregunta diciéndote que, muchas veces los procesos llegan porque el Espíritu Santo desea fortalecer tu hombre o mujer interior y, de esa forma, prepararte para lo que viene en el futuro. Es el escenario perfecto para que aprendas a usar las armas y las herramientas que el Padre Celestial te ha dado en su Palabra para vencer, al igual que Jesús venció, lo cual te ayudará en medio del tiempo que se aproxima.

A través del tiempo, he visto personas que comenzaron genuinamente su proceso de crecimiento y terminaron alejándose de todo lo que representa una congregación o «iglesia» y hasta de las personas claves en su travesía. Me ha tocado muy de cerca y no niego que me entristece, porque veo el favor y el bien que el Señor está construyendo en sus vidas; pero, las influencias externas muchas veces los hace detenerse. En una ocasión estuve en la misma situación, pero la diferencia fue que nunca dejé de participar en las reuniones de la congregación. En el capítulo cuatro podrás leer con más detalles de qué te estoy hablando.

Existen muchas razones por las que ocurren estos cambios en el proceso de crecimiento, pero yo te quiero compartir algunas de ellas, basadas en lo que ha sucedido en mi propia vida. Al entenderlo, aprendí a estar mucho más atenta para tomar decisiones más acertadas.

La primera, es cuando no entiendes el mensaje del Reino en Su Palabra; entonces estás expuesto, aunque no lo sepas, a la incredulidad. Y quizás pienses que ese no es tu caso, porque tú sí crees; pero quiero decirte que los lugares que no han sido formados por la Palabra, son vulnerables ante el engaño de lo que parece ser normal bajo el sistema de este mundo, y por lo tanto, tendrá su influencia.

Ahora bien, ¿cuál es el mensaje del Reino? lo voy a resumir en tres palabras: sanidad, restauración y buenas nuevas de salvación. Analiza cada una de estas palabras, ¿no te parece que el mensaje es para tu bien? Sin duda alguna, lo es.

La segunda, es cuando recibes con alegría el mensaje y tus raíces están en el proceso de crecimiento, pero todavía no tienen la suficiente profundidad. En esa condición, cuando llegan los tiempos difíciles o se presentan los problemas de la vida, decides no continuar. Ese es el momento, dentro del desarrollo natural del hombre, en donde las cosas se complican por la mala interpretación del tiempo que está viviendo.

En la vida todos vamos a enfrentar temporadas de turbulencia; pero si permaneces, incluso en ese tiempo difícil, al finalizar te darás cuenta de cómo esa circunstancia obró para tu bien, de acuerdo a los propósitos del Padre. Recuerda esto: el Padre todo lo hizo bueno en Su tiempo, no en el nuestro.

Hay un secreto poderoso en la acción de permanecer y esperar, y lo encontramos analizando de forma sencilla, el proceso de crecimiento de un árbol. Este atraviesa varias etapas, que quiero resumir de forma muy general, para ilustrarte mejor los aspectos que quiero que analices:

- En la etapa del nacimiento y la etapa infantil, los árboles generalmente son débiles y la mayor parte de su energía se concentra en el crecimiento, para lograr que sus tallos sean más gruesos y sus raíces más profundas.
- Luego, en la etapa de la juventud, se acelera el crecimiento para darle prioridad energética a otras áreas. En su apariencia parece ser un árbol adulto porque ya se ve con altura y se está ensanchando, pero todavía no se puede reproducir.
- Finalmente, cuando llega a la próxima etapa, que es la de madurez, las raíces son profundas por lo que la absorción de agua y nutrientes se realiza de forma natural. Aquí, el árbol alcanza su potencial y es capaz de permanecer en los temporales; pero también de dar su fruto en el tiempo que le corresponde. Él responde a la esencia y el origen que lo identifica.

La naturaleza es fascinante y tiene mucho que enseñarnos. Cada detalle nos muestra la grandeza de nuestro Creador.

Ahora, tomando en cuenta la ilustración anterior, quiero que pienses en qué fase de crecimiento te encuentras. Una vez la identifiques, debes ser intencional en tu desarrollo y permanecer firme para que tu carácter sea formado. Entonces comenzarás a disfrutar del fruto que tu vida va a producir de manera natural, y descubrirás que la plenitud en la vida sí existe. El resultado de la esencia del Padre Celestial es un regalo para los que permanecen hasta el fin.

Otra de las razones por las que muchos abandonan a mitad del camino, es una que viví por mucho tiempo y con la que tal vez, te vas a identificar: Son las preocupaciones; aquellas situaciones cotidianas de la vida, que agobian y no dejan pensar con claridad.

Vivimos en un mundo acelerado; y lo conocemos de tal forma, que pensamos que es normal permanecer en ese estilo de vida (por lo menos, yo lo pensaba así). Lo increíble es que ni siquiera nos damos cuenta. En mi caso, después de mucho tiempo, entendí que mi enfoque se había basado en suplir a mi familia todas sus necesidades, básicas y no tan básicas, por lo tanto trabajaba sin cesar. Apenas tenía tiempo durante la semana para gozar, de una manera balanceada, de aquellas cosas que realmente son importantes en la vida, como: disfrutar con la familia, practicar algún hobby, cocinar, compartir con amistades, entre otras cosas más. Y como todo desbalance, siempre termina dando su fruto... o por lo menos, así me paso a mi.

Cuando tu visión y prioridades se encuentran en las cosas externas, como lo son la comida, bebida, vestimenta y lujos, te darás cuenta que todos los demás aspectos fundamentales en la vida pasan a un segundo plano. A veces esto ocurre de manera consciente; pero, en ocasiones no es así.

Existe un principio hermoso que nos enseña el orden correcto: «*La vida es más importante que el alimento y el cuerpo es más importante que la ropa*». Entonces, ¿cuáles son aquellas cosas en las que te debes enfocar? La respuesta es sencilla: la familia, buenas amistades, el servicio a otros y, algo muy importante, en tu propia vida. No puedes dar lo que no tienes y si, por ejemplo, solo tienes tu trabajo; cuando no esté, tu vida va a colapsar. En cambio, si cuentas con un círculo de apoyo y una vida cultivada en amor, el trabajo puede desaparecer por un momento, pero tú no vas a perder la estabilidad; más bien, buscarás alternativas desde una perspectiva distinta.

En mi proceso de crecimiento he desarrollado las siguientes prácticas que me han dado resultados y que seguramente te funcionaran a ti:

1. Mantente firme en comunión con el Señor, a través de la oración y Su Palabra.
2. Practica la gratitud.
3. Sé generoso.
4. Si algo te preocupa, preséntalo al Señor en oración.
5. Confía y espera.

Ahora bien, por otro lado, también se pueden presentar obstáculos en el proceso de crecimiento, que son puertas que debes enfrentar con intención y propósito. Desde el principio, en Génesis 1 podemos apreciar cómo el primer hombre fue tentado para desertar del propósito de Dios. Esa es la misma estrategia que el mal utiliza para tratar de detener el plan de Dios en tu vida: Primero crea dudas acerca de tu identidad como hijo de Dios y luego, te reta para tomar decisiones o hacer cosas fuera de tiempo.

Es importante que entiendas la temporada en la que estás viviendo, porque eso determinará los pasos certeros que debes dar para ir camino a ese propósito. Si aún no la conoces, pídela a Dios en oración y espera tener el entendimiento claro para que puedas enfrentar los escenarios de la vida y vencer.

Si estás atravesando el tiempo de la tentación o del fortalecimiento del hombre interior por el Espíritu, no cedas ante la seducción de grandeza; más bien espera y permanece entendiendo que estás en un proceso. Ahora es cuando comienzas a valorar quién eres y dónde estás permitiendo ser revestido en tu ser.

Es necesario que tengas claro que el mal te reta, utilizando la misma Palabra de Dios, para tentarle. Esto quiere decir que no se trata de ti. Tu participación en esta etapa consiste en resistir con el entendimiento claro de quién eres y de esta forma, tu identidad no se verá afectada. Cuando no conoces Su Palabra en intimidad te vuelves vulnerable y propenso a obedecer al engaño y es ahí donde ocurre una interferencia en tu crecimiento.[6]

¿Conoces la Palabra de tal forma que estás viviendo la plenitud del Espíritu? Cuando viene el tiempo de escasez económica, ¿de qué te alimentas? ¿Te aferras más al sustento que tú controlas o vives por la Palabra de Dios? Estas son preguntas que personalmente me hago y reconozco que en muchas ocasiones no tengo las respuestas; pero lo que sí puedo hacer es entrenar mi mente para vivir por los principios que ya han sido provistos en la Palabra.

Jesús fue llevado por el Espíritu al desierto para ser tentado. Estaba siendo ubicado en el escenario perfecto para probar sus convicciones y prepararlo para lo que enfrentaría en el cumplimiento de su llamado. Esto quiere

---

6     Ver Oseas 4:6, NTV.

decir que lo que te ocurre es temporal y tiene fecha de expiración. Hay propósito en ese corto tiempo. No permitas que la dificultad en tu situación actual te detenga en el proceso. Sea económica, familiar o de cualquier otro tipo, primero busca conocer la Palabra de Dios, de forma que tu intelecto se restructure. Obedece y cree lo que Él ya te ha afirmado. Resiste y persiste en el proceso, aunque creas que no tiene sentido y aparentemente no veas nada.

En esta temporada en donde estás siendo sanado y cuidado por Dios, necesitas conscientemente ser sincero contigo y darte permiso para aprender a la manera de Dios; con sus estrategias y no las tuyas. Es ahí cuando te conviertes en alguien con agilidad y astucia en los asuntos del Reino.

Sé parte de los que avanzan contra viento y marea. No te detengas en el camino ni pierdas el tiempo en la queja, maldiciendo y culpando a otros, porque corres el riesgo de permanecer más tiempo de lo necesario en ese proceso. Tu corazón tiene que ser dirigido a la plenitud de la restauración de todas las cosas. **En el Señor no hay trabajos inconclusos.** Él es el Rey de Reyes y Señor de Señores; lo que promete, lo cumple.[7]

## Propuestas inesperadas

*«El tentador se le acercó y le propuso... ».*
*(Mateo 4:3)*

---

7    Ver Apocalipsis 17:14.

En el proceso de crecimiento, en donde tus sentidos espirituales están siendo afinados, vas a recibir propuestas que, aunque lo parezcan, no provienen de Dios y es importante que aprendas a identificarlas. Esto aplica a todas las áreas fundamentales e importantes de tu vida en las que debes tomar decisiones, como: con quién te vas a casar; si debes o no iniciar esa relación; si es conveniente aceptar esa oportunidad de trabajo o de negocio; si debes continuar esas conversaciones, siendo una persona casada; si es adecuada esa alianza o esa colaboración; si puedes aceptar esa propuesta ministerial; si será beneficiosa esa inversión... entre muchas otras más propuestas tentadoras a las que te puedes enfrentar.

Cuando se presente una oportunidad en tu vida no tomes decisiones a la ligera. El engaño se parece a la verdad. Tiene apariencia de correcto, de agradable, de fácil, pero no lo es; es meramente una imitación de la verdad. Es la mentira disfrazada.

Antes de aceptar una propuesta, medita en oración para que tus ojos sean iluminados y puedas ver con claridad la intención de esa proposición. Ejerce la paciencia en medio de la espera, entendiendo que **Dios no deja a sus hijos en vergüenza.** Él te creó y sabe cuánto lo necesitas en este proceso de vida. Cuando oras por sabiduría, te fortaleces en la Palabra y esperas, teniendo la certeza de que tu Padre tiene cuidado de ti; entonces recibes el respaldo y la dirección correcta, los ojos espirituales se abren y en muchas ocasiones, la mentira queda descubierta y revelada ante ti.

¿Por qué es importante cuidarse de las propuestas? Porque si aceptas alguna que no provenía de Dios o que no era el tiempo de aceptar, entras en otro proceso que te va a tomar más tiempo y en muchos casos, te producirá dolores y hasta pérdidas que hubieras podido evitar, si hubieses tomado la decisión adecuada. A veces es mejor dejar pasar una propuesta porque no es parte de tu destino y que simplemente fue enviada para probar tus cimientos espirituales. **Recuerda:**

No aceptes a la ligera
todo lo que se te presente.
Detente y analiza en oración
por la Palabra, antes de
dar cualquier paso.

## El pan cotidiano

Veamos estos dos versos del libro de Mateo:

*«No solo de pan vivirá el hombre,
sino de toda palabra que sale
de la boca de Adonai».*
*(Mateo 4:4, Nuevo Testamento Judío)*

*«Danos el alimento que necesitamos hoy».*
*(Mateo 6:11, Nuevo Testamento Judío)*

Cuando vemos el modelo de oración que el Señor Jesús nos dejó como legado, encontramos que lo primero que debemos hacer es reconocer Su grandeza, independientemente de nuestro estado anímico. Luego, voluntariamente, invitamos a que el Reino de Dios venga a nuestras vidas para que se haga Su voluntad. Seguido a eso, Jesús dice: *«Danos el alimento que necesitamos hoy»*.

La lección que podemos extraer de esto es que, así como cada día buscas el alimento para tu cuerpo; de la misma manera, para conocer la voluntad del Padre tienes que exponerte diariamente a Su Palabra. **En tu búsqueda de propósito en Él, debes hacer que el Reino de Dios sea una realidad en tu vida cotidiana, intencional y conscientemente.**

Crea el hábito de pedir, todos los días, la porción de la Palabra que va a alimentarte y a traer crecimiento en tu ser interior. Para ello, te invito a hacer un ejercicio muy sencillo que te va a ayudar en un proceso introspectivo, para pasar al próximo nivel. Esta dinámica también te ayudará a evaluar cómo te alimentas y de qué forma puedes hacerlo más saludable.

Escribe en un papel un listado de todos los alimentos que comes normalmente. Lo harás por día y horas. Al lado de cada día vas a escribir la porción de la Palabra que, en oración, le pidas al Señor para alimentarte espiritualmente. Te pongo un ejemplo que puedes adaptar según tus preferencias y hábitos:

| | Actividad Física | Palabra del Día | Desayuno | Almuerzo | Cena |
|---|---|---|---|---|---|
| Lunes | | | | | |
| Martes | | | | | |
| Miércoles | | | | | |
| Jueves | | | | | |
| Viernes | | | | | |
| Sábado | | | | | |
| Domingo | | | | | |
| Resultados | | | | | |

Ahora hazte las siguientes preguntas:

1. ¿Tu dieta alimentaria diaria está produciendo buenos resultados en tu salud, o entiendes que puedes optimizarla para mejorar tu salud física, incluyendo el peso ideal? Responde de forma honesta.[8]

2. ¿Te estás alimentando diariamente de la Palabra de Dios, en estudio y meditación? ¿Estás teniendo resultados en tu crecimiento espiritual?

3. ¿Crees que llevas una vida balanceada? o, por lo contrario, ¿puedes identificar áreas de oportunidad?

De esto se trata: de hacer una pausa para analizar, evaluar, mejorar y quitar todo lo que interfiere en el crecimiento espiritual. Somete los deseos que te llevan por el camino contrario al descubrimiento de la voluntad de Dios para tu vida.

La Palabra de Dios no es como un juego de ajedrez en el que mueves las fichas, según tu intelecto y estrategias, para manipular la situación. Si crees que estás en un proceso, consciente o inconsciente, párate firme porque debes entender que tal vez estás siendo tentado. Cuando lo hagas, notarás cómo la fortaleza del Señor viene a ti y en poco tiempo verás tu crecimiento.[9]

---

8    Visita a tu médico o a un profesional en nutrición para que te ayude a estructurar el plan alimentario apropiado para tus necesidades individuales.

9    Ver Efesios 2

# En resumen...

En el proceso de desarrollo y crecimiento te vas a encontrar con distintos obstáculos que tratarán de influenciar tus decisiones; pero te toca a ti permanecer con la confianza de que el Padre terminará la obra que comenzó en ti.

En la tentación debes aliarte y descansar en la Palabra de Dios; Él es tu refugio seguro. Recuerda que Dios no te juzga. La tentación viene para probar tu fundamento. En el principio, el primer Adán y Eva se dejaron seducir por el pecado; pero en la manifestación de Cristo, vemos cómo Él venció la tentación utilizando el discernimiento y la Palabra de Dios. Luego, cuando Jesús salió de esa etapa, estaba listo para dar cumplimiento al propósito de su vida, que consistía en dejar un legado en la humanidad, a través de los discípulos que esparcieron el mensaje del Reino de Dios, dando Su vida por todos y enviando el Espíritu Santo como garantía al ser humano de que pronto regresaría. El plan estaba completo.

Es precisamente el Espíritu Santo quien te va a ayudar en tu proceso de crecimiento y con quien vas a vencer. Él es tu mejor amigo. Anhela fervientemente el bautismo en el Espíritu Santo, búscalo como al oro y la plata, de todo corazón. El día menos pensado recibirás poder para vencer las tentaciones de este mundo.

### En este proceso te recomiendo lo siguiente:

No te apresures a hablar lo que no entiendes; escucha las palabras de sabiduría con valentía y mide las consecuencias de tus actos, antes de tomar una decisión importante en tu vida. Entiende que estás siendo entrenado en el discernimiento y la prudencia, a través de la Palabra; y en la acción de escuchar atentamente para procesar la enseñanza, de modo que puedas ejecutar un bien y protejas tu tesoro.

## Oración

*Señor Jesús, revísteme con tu poder. Reconozco que te necesito, concédeme el don de discernimiento para ser ágil en los asuntos importantes de la vida. Renuncio al lugar seguro para entrar en las aguas profundas de tu Palabra. Bautízame con tu Espíritu Santo para vencer este mundo. Quiero conocerte en la intimidad y comunión para ser enseñado por ti. Me deposito en tus manos y confío en ti. Gracias Señor.*

## Rutina para tu cuidado personal

El compromiso que hagas contigo mismo creará hábitos que beneficiarán tu calidad de vida. Analiza y escribe cuáles son los que puedes modificar y define tu nueva estructura de hábitos.

Hábitos Alimentarios:
Meta:                                    Beneficio:

_____          _____

_____          _____

Hábitos Espirituales:
Meta:                                    Beneficio:

_____          _____

_____          _____

Hábitos Físicos:
Meta:                                    Beneficio:

_____          _____

_____          _____

Complementa este plan de acción con los recursos que encontrarás en
www.symbiadiaz.com

# 3

# Crecer sin interferencias

«Nada puede detener al hombre
con la actitud mental correcta;
nada en la tierra puede ayudar al
hombre con la actitud
mental equivocada».
Thomas Jefferson

Recuerdo que, en la búsqueda por el significado de mi vida, me encontré como en un laberinto sin salida. Esto se debía a que intentaba encontrar lo que me hacía falta en lo que conocía, pensando equivocadamente que se trataba de cosas que podían ser suplidas materialmente. Esto me causó mucho dolor porque no hallaba la respuesta en nada ni nadie y, sin darme cuenta, el problema aumentaba, porque mi pensamiento estaba equivocado. Todo ser humano es dirigido por su sistema de creencias y si ese sistema está equivocado, difícilmente llegará al destino correcto. Yo lo tenía todo menos lo esencial de la vida.

La buena noticia es que descubrí que existe un nivel más alto de pensamiento, por lo cual cuando seas llamado no lo pienses, solo camina... mejor no camines, ¡corre! ¡Ve hacia lo que Él te está invitando a disfrutar! Goza de sus beneficios, entre ellos conocer tu misión y propósito en esta travesía llamada vida.

Para poder llegar al conocimiento de la voluntad de Dios en tu vida, encontrar tu propósito y descubrir eso que te hace falta, aunque lo tengas todo, es necesario que cambies la estructura de pensamientos que has adoptado como un absoluto.

En las diferentes fases de desarrollo en la vida vemos que, ya sea en la concepción y crecimiento en el vientre de la madre, o en el cuidado de una semilla que va a crecer para dar frutos, hay una probabilidad común. Lo llamo interferencia en el crecimiento. En el proceso de concepción de un óvulo y un espermatozoide, el propósito inicial es dar a luz un bebé y que este pueda crecer y desarrollarse de forma saludable en todas las áreas de su vida; igualmente, el de una semilla sembrada en tierra es crecer para dar fruto. En ambos escenarios pueden haber estorbos o interrupciones para que ese propósito se cumpla.

Si lo vemos en lo natural, algunos ejemplos de interferencia, podrían ser que la madre sufriera un accidente o un proceso de pérdida que afecta el embarazo; el diagnóstico de una enfermedad genética en el bebé; unos padres que no desean asumir su responsabilidad y deciden abortar o entregar en adopción a su hijo; una familia con problemas de alcoholismo, maltrato, drogas, abuso a los infantes, entre otros. Todos estos eventos interfieren en el proceso del crecimiento de un bebé, provocando un desvío en el diseño original de la voluntad de Dios. Aunque lo normal sería recibir un bebé sano, en un núcleo familiar que le brindara amor, seguridad, afirmación y confianza como guía en su proceso, cada una de estas situaciones pueden provocar que este se enfrente a una interferencia en el crecimiento, que lo lleve a adoptar una falsa realidad que no es su fin.

Tú naciste en una familia con costumbres y creencias influenciadas por la cultura y/o religión de tu país de procedencia, de nacimiento, o del lugar de donde son tus padres. Pero es muy importante que, por encima de eso, conozcas la verdad del Reino de Dios, para que camines en función a lo que ya fue escrito en Su Palabra. Eso te llevará a conectarte con la esencia de tu llamado y a entender quién eres realmente.

Conociendo el manual de instrucciones puedes ir en la travesía de la vida siendo más asertivo en tus decisiones y experimentando la plenitud de Dios en tu vida. Esto no significa que nunca tomarás decisiones equivocadas; pero sí quiere decir que si te equivocas, contarás con la fuerza del Espíritu Santo en ti, que te impulsará a levantarte una vez más para continuar hacia la meta.[10]

## Analiza tu sistema de creencias

Como parte del proceso de auto descubrirte, es necesario que prestes atención al sistema de creencias que dirige tu vida, porque es ahí donde comenzarás a ver los patrones que sigues.

La Biblia dice, en Marcos 7:20 «...*Lo que sale de la persona es lo que la contamina.*». En otras palabras, somos lo que pensamos. Ahora bien, ¿qué es un sistema de creencias? es lo que opinas de ti, sobre los demás, y sobre la vida. Todo el conjunto de creencias es nuestro paradigma personal. El paradigma nos sirve de lente para interpretar la realidad. Son los valores sobre los cuales hemos decidido, inconsciente o conscientemente, vivir nuestra vida. En adición, se incorporan las experiencias vividas, ya sean positivas o negativas, que refuerzan tu sistema de creencias.[11]

---

10    Ver Proverbios 24:16; Salmos 37:24.

11    Consulta en línea www.psicologosenbarcelona.com

Me gustaría ayudarte a hacer un análisis acerca de tu realidad. Esto es porque mientras más honestidad muestras contigo mismo, mejores resultados vas a obtener.

Si estás haciendo otra cosa, por favor detente y usa este momento para que puedas escudriñar lo que habita en tu mente y tu corazón. Si es necesario, busca lápiz y libreta, escribe, vuelve a leer, toma el tiempo que necesites, pero hazlo.

Dice la Palabra en Juan 8:31: *«Si se mantienen fieles a mis enseñanzas, serán realmente mis discípulos; y conocerán la verdad, y la verdad los hará libres».*

Analiza y responde lo siguiente:

- ¿Qué motiva tu corazón?
- ¿Cuáles son los pensamientos que, día a día, mantienen una postura importante en ti, y ocupan el primer lugar?
- ¿Cuáles son tus prioridades?
- ¿Cuál es tu visión y misión en la vida?
- ¿Crees que naciste para vivir la vida que llevas? ¿En tu interior hay algo que te apasiona? Escríbelo.
- ¿Puedes describir los talentos naturales que tienes? Haz una lista de ellos.
- ¿Tu vida representa y está en función a tus talentos?
- ¿Cuáles son los talentos y cualidades que tienes y bendicen a otros?
- Cuando te enfrentas a desafíos importantes en la vida, ¿mantienes la compostura? ¿Cuál es tu patrón reactivo ante las circunstancias?
- ¿Estás seguro de que estás haciendo lo que Dios te llamó a hacer? ¿Cuál es tu fuente de conocimiento?
- Cuando estás en tiempos difíciles, ¿quiénes son tus mentores?

- ¿Tu sistema de creencias está alineado a la Palabra de Dios? ¿Puedes definirlos brevemente?
- ¿Cuál es tu estructura de creencias en tu hogar con tu familia?

Hay muchas otras preguntas que te podrías hacer para examinarte y darte cuenta de si estás siendo influenciado por la Palabra de Dios o por el sistema de creencias de este mundo, pero si respondiste honestamente las anteriores, ya hay una base sobre la que puedes empezar a trabajar.

Para poder ser eficiente en el Reino, tienes que conocer cuál voluntad te dirige: la de tus deseos o la perfecta voluntad de Dios.[12] **La luz ES, y todo el que es iluminado debe entender que necesita ser formado.** Debes anhelar descubrir el buen depósito en tu interior y para que ese proceso de transformación y unidad en el Espíritu Santo de Dios comience, es importante que te rindas a Él.

Quizás estés pensando: *«Yo ya le sirvo a Dios», «Soy cristiano», «Soy líder en mi congregación», «Conozco la Palabra», «Yo oro», «Cumplo con los mandamientos»…* O puedes pensar: *«Yo no voy a ninguna iglesia, pero no le hago daño a nadie, yo ayudo a las personas y soy un buen ciudadano».* Todas estas afirmaciones son buenas, pero son verdades que, aunque tienen una apariencia de piedad, no necesariamente se alinean con la voluntad de Dios.

*«Que nadie se engañe a sí mismo. Si alguno de vosotros cree ser sabio (según las normas de este mundo), vuélvase "insensato" para que pueda ser verdaderamente sabio». (1 Corintios 3:18, Nuevo Testamento Judío)*

---

12   Ver Romanos 12:2; 2 Pedro 1:4.

Lo que el Señor quiere decirte es que es mejor ser ignorantes ante el sistema de creencias de este mundo. Este te dirige hacia un camino de independencia de Dios y a la autosuficiencia como ser humano versus a ser entrenado en el conocimiento de la verdad que te va a conectar con tu propósito de vida. Cuando tus ojos están iluminados para ver con claridad y guardas el temor hacia Dios, tu vida se mueve con astucia y sabiduría. No te aferres a tu sistema de creencias. Es mejor bajar la resistencia para que, en humildad, puedas llegar a conocer la verdad que trae sabiduría y te preserva.

En Proverbios 2:1-8, encontramos una clara indicación sobre cuál debe ser tu actitud en la búsqueda de la sabiduría.

*«Hijo mío,(...) si tu oído inclinas hacia la sabiduría(...) si la buscas como a la plata, como a un tesoro escondido, entonces comprenderás el temor del Señor y hallarás el conocimiento de Dios. Porque el Señor da la sabiduría(...) Entonces comprenderás la justicia y el derecho(...) la sabiduría vendrá a tu corazón, y el conocimiento te endulzará la vida(...) La sabiduría te librará del camino de los malvados(...) Así andarás por el camino de los buenos y seguirás la senda de los justos».*

## En resumen...

En este capítulo pudiste ver que las interferencias en el camino son reales, pero no definen quién eres en el Reino de Dios. Eres hijo, a pesar de tu principio. Eres amado por el Padre. Escudriña tus pensamientos y no te avergüences, porque el Señor no te juzga. Hay un secreto poderoso en la confesión de todo lo que habita en tu ser interior: pensamientos, deseos, pasiones e intenciones. Mientras más honesto seas contigo mismo ante el Padre, mucho más podrás extenderte a recibir la libertad que tanto has anhelado.

El fruto del Espíritu Santo en ti provocará una vida con propósito y plena en el Señor. Luego de cada respuesta, busca en la Palabra de Dios una promesa que sustituya y estructure tu pensamiento. Convierte esa promesa en verdad en tu meditación diaria. Pasa tiempo a solas con el Espíritu Santo y ya verás cómo tu vida florece.

Comienza a desechar la lógica que te impide crecer y eleva tu nivel de conciencia para que puedas experimentar un nuevo nivel de vida.

## Oración

*Espíritu Santo, ayúdame a identificar lo que interfiere en mi crecimiento y lo que no me permite acercarme a ti en libertad. Te necesito y acepto. Ayúdame a recibir a conciencia tu llamado y tu guía en este proceso de vida. Necesito descubrir lo que ya hablaste de mí en tu Palabra, desde el principio. Confío en ti. En tus manos estoy seguro. Gracias, Señor.*

# *Plan de Acción*

Luego de haber contestado las preguntas de la página 65 construye el cuadro visionario de tu vida.

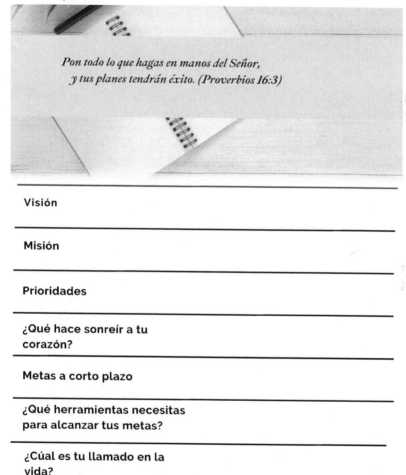

*Pon todo lo que hagas en manos del Señor, y tus planes tendrán éxito. (Proverbios 16:3)*

**Visión**

**Misión**

**Prioridades**

**¿Qué hace sonreir a tu corazón?**

**Metas a corto plazo**

**¿Qué herramientas necesitas para alcanzar tus metas?**

**¿Cúal es tu llamado en la vida?**

Complementa este plan de acción con los recursos que encontrarás en www.symbiadiaz.com

# 4

# Un poco de mi historia

«Tus ojos vieron mi cuerpo en gestación; todo estaba ya escrito en tu libro; todos mis días se estaban diseñando, aunque no existía uno solo de ellos».
(Salmos 139:16)

E xiste un momento en la vida donde nuestra mirada se torna al principio, a la fuente de vida y donde todo cobra sentido. Es el tiempo en el que se empieza a percibir el aliento de vida del Creador. Es ahí donde, poco a poco, se descubre el tesoro escondido en el interior y el propósito de la existencia en la tierra.

Salmos 139:16 me fascina porque veo el amor de Dios. Aunque nuestro principio haya sido pequeño, nuestro final puede ser glorioso en sus manos.

Esto me lleva a pensar en el proceso de diseño de una pieza de ropa. Por si no lo sabes, estudié Mercadotecnia y también Diseño de Modas en una academia importante en mi país y me encanta la moda. Cuando un diseñador inicia su proceso creativo, lo primero que hace es definir cuál va a ser el código de vestimenta o el uso del traje a crear. Luego, comienza a diseñarlo y a trabajar en los detalles como los colores, la textura de la tela, el zipper, los botones. Todavía el traje no ha sido creado físicamente, pero ya existe en la mente del diseñador. Cuando él toma un papel y un lápiz para dibujar lo que hay en su mente, es porque ya el traje tiene su personalidad y funcionalidad, para luego confeccionarlo y llevarlo a una realidad.

El diseño es la guía que da dirección y conecta con el llamado. Si no conoces tu diseño, caminarás errante por la vida. Pero es hermoso saber que, desde los días de gestación, el Señor ya tenía cuidado de ti, porque eres Su obra única, enviada por Él para manifestar Su vida y vivir en armonía. **Si despiertas a la vida y te conectas con tu esencia, vives en paz.**

Quizás, en momentos difíciles te has preguntado: *«¿Para qué tanto dolor?, ¿cuándo va a parar?»*. Tal vez has creído que tu vida no tiene sentido. Yo lo hice y por eso, antes de seguir, quiero contarte mi historia para que puedas ver y entender que siempre hay propósito y una asignación divina para cada uno de nosotros, sus hijos.

Soy hija de padres divorciados. Tuve una infancia y una adolescencia muy difíciles, en la que, a pesar de no darle problemas a mi madre, experimenté socialmente muchas cosas que eran mi escape al dolor que cargaba por dentro.

Te cuento mejor:

Cuando cumplí doce años mi mamá contrajo nupcias y nos mudamos de la casa de mis abuelos a otro lugar. La comunidad, las familias y el estilo de vida donde yo vivía era hermoso y cómodo, tipo resort, de aquellos donde tienes todo en un mismo lugar, incluyendo la playa y no había necesidad de salir del lugar. Sin embargo, era un entorno que hacía muy fácil caer en vicios. El exceso de libertad es peligroso. Aunque nunca es tarde para un nuevo comienzo, vi a muchos jóvenes convertirse en adultos y no alcanzar su máximo potencial.

En cuanto a mi, a pesar de que disfrutaba de cosas materiales, placeres, en fin, todo lo externo, vivía con un sentido continuo de muerte, como si en cualquier momento mi vida fuera a expirar.

Según el sistema de este mundo yo no prometía mucho, me mantuve en depresión por años, lo que me llevó a hacer muchas cosas contraproducentes. Mi interior clamaba por una respuesta que solo encontré, a mis veintiún años, cuando tuve un encuentro hermoso con mi Señor Jesús.

Recuerdo que en el proceso, antes de venir al conocimiento de Dios, tuve un accidente. Iba de pasajera en la motocicleta del que, en ese entonces, era mi novio. De repente, un carro nos impactó y se fue a la huida. Yo volé varios pies de distancia debido al impacto, dando golpes en la carretera. No olvido que, mientras perdía el control de mi cuerpo, decía: «*Señor, perdóname, porque el carro que viene detrás me va a matar*». Fue un momento de instinto y de entrega a Dios, sin saber que había un plan para mi vida y que ese no sería mi final. Al ser una carretera muy transitada, pensé lo peor, pero para mi sorpresa los carros pararon a tiempo.

Yo estaba tendida en la carretera. Solo escuchaba mucha gente, pero no me podía mover. Nunca olvidaré la voz de una mujer orando y clamando a Dios por mi vida, como si yo fuera su propia hija. Mientras llegaba una ambulancia, Dios ya había dado una orden. El proceso de recuperación tomó dos meses; hoy solo quedan marcas que me recuerdan el milagro que Él hizo.

Poco tiempo después, me fui de mi país, Puerto Rico, a vivir un tiempo en Miami, Florida. Esperaba terminar mis estudios universitarios allí y salir de la relación tóxica que llevaba en ese tiempo. Luego de haber experimentado un milagro trascendental, aquel día, tras el accidente, empecé a necesitar algo más dentro de mí, que no sabía bien qué era ni por dónde comenzar a buscar. Solo me acordaba de las enseñanzas de mi tío Jorge, que desde mis ocho años sembraba en mí Palabra de Dios, aunque yo no lo entendía. Definitivamente, él fue un pilar en mi vida.

En ese proceso, recuerdo estar sentada en la sala de mi apartamento, con un vacío muy grande, preguntándome la razón de ser de mi vida. En ese momento de quietud en la noche, escuché una voz que producía paz en mí, dándome un mensaje. Comencé a escribir lo que me decía, aunque no entendía nada. Cuando terminé eran tres páginas. Sabía que esto tan extraño venía de Dios porque me inspiraba a que buscara en la Biblia.

Con muchas preguntas, busqué en una que mi mamá me había dado antes de irme de mi país, pero no encontraba quién era ese personaje llamado Elías del que aquella hermosa voz me hablaba, pues no conocía Su Palabra. Llena de curiosidad, al otro día me fui a una librería, a ver si conseguía algún libro que resolviera mis dudas, pero no descubrí nada. Lo que sí encontré fue a un hombre que, sin yo saberlo, ya había sido encomendado por Dios para ayudarme a estudiar la Biblia.

Recuerdo estar parada al frente de un anaquel de libros buscando mi respuesta y allí estaba él sentado, leyendo. Al parecer mi ansiedad por buscar lo que necesitaba era visible. Él comenzó a hablarme y era como si Dios mismo me estuviera hablando en ese momento. Fue un tiempo hermoso que ya Dios había destinado. A partir de entonces, durante tres meses, ese misionero americano que yo llamo «*el ángel que Dios envió*», se convirtió en mi mentor.

Aunque yo no visitaba ninguna iglesia, el encuentro semanal en la librería para estudiar la Palabra de Dios era fascinante y me producía paz y esperanza.

## Un encuentro con lo inesperado

Poco tiempo después, lo inesperado pasó. Yo trabajaba de anfitriona en un restaurante a varias cuadras de distancia de mi apartamento. Normalmente caminaba hacia el trabajo y regresaba de la misma manera, pues era bonito el paisaje de la playa, las tiendas y los restaurantes. Todo era muy turístico. Mis amigas siempre me decían que yo era muy despistada porque, mientras disfrutaba del camino, nunca me daba cuenta cuando los chicos me miraban. Y desafortunadamente estaban en lo cierto.

Un día, mientras caminaba desde mi trabajo a mi apartamento, fui interceptada por un hombre que comenzó a hablarme en un tono suave. Lo que yo no sabía era que él me había estudiado y conocía mi patrón. Este hombre, a plena luz del día, me convenció para que hablara con él porque, supuestamente, era turista y me quería hacer algunas preguntas. Yo ingenuamente accedí, porque parecía ser una persona «normal».

Nunca pensé caer en el tráfico humano. Pasé un día y una noche encerrada en un apartamento escuchando las palabras más horribles que una persona pueda escuchar; eran palabras intimidantes que retaban mis pensamientos. El lugar era lujoso, pero no había muebles; solo un comedor para dos personas. En la sala había una cruz grande de madera colocada en el piso y dinero alrededor.

Todas las paredes eran color blanco, incluyendo la ropa que me dio para que me cambiara. Mientras estaba allí, ese hombre me decía que Dios estaba permitiendo eso para que yo confiara y porque Él quería ver hasta donde yo podía llegar. Luego se contradecía diciendo que me iban a matar si yo decía algo o intentaba escapar.

Recuerdo atemorizada pedir permiso para ir al baño. Inmediatamente, puse el seguro en la puerta y prendí la ducha para que no me escucharan llorar, pues no estaba permitido. Desesperada y asustada, me arrodillé y dije: «*Si tú eres el Dios de mi tío y eres real, por favor, sácame de aquí*». Después comencé a recitar el Padre Nuestro completo, una y otra vez. Fue mi instinto de supervivencia en ese momento, donde solo un milagro me podía librar de convertirme en un número más en las estadísticas de trata de personas.

Algo que aprendí después, es que estas personas trabajan con la mente de sus víctimas para que les obedezcan y luego se hacen pasar por sus dueños y señores. Recuerdo que una de las cosas que me dijo ese hombre era que quería que yo hiciera pacto con lo que ellos hacían y creían. Pero te puedo decir que la oración que hice la noche anterior en el baño, fue la que me dio la fuerza necesaria para hablar con astucia, de manera que, al día siguiente, le pude seguir la corriente, para luego convencerlo de que me llevara a trabajar y me esperara. Así pude escapar y correr sin parar hasta llegar a mi apartamento.

Una vez allí, lo primero que hice fue llamar a mi tío y preguntarle quién era su Dios. Él comenzó a hablarme de una forma muy linda, pero en mi mente estaba confundida, llena de miedo. No me atrevía a hablar de lo que me había pasado, ya que me habían amenazado de muerte.

En ese momento, tomé la decisión de irme inmediatamente a mi país. Lo que no sabía era que iba de camino a encontrarme con mi Creador y a comenzar una nueva etapa en mi vida.

Esta experiencia la pude contar a mi madre y a mi tío siete años después de lo ocurrido.

Aunque yo tenía un plan, el plan de Dios superó el mío. Mi vida comenzó a dar un giro de ciento ochenta grados. Me enamoré de mi Señor y de su Espíritu Santo. Él comenzó a darme sentido de propósito y vida y comencé a vivir en abundancia. Su paciencia fue más fuerte que mis deficiencias. Sus cuerdas de amor me atrajeron hacia Él y, día a día, me iba formando con Su Palabra. Poco a poco fui descubriendo mi identidad como hija de Dios y a través del amor, su Espíritu Santo me dirigía.

Así como un niño no corre antes de gatear, en el proceso de desarrollo espiritual ocurre lo mismo. Somos enseñados, corregidos y llevados al camino que conduce a la vida eterna.

## Éxito profesional

Cuando me gradué de la universidad y comencé a buscar trabajo, yo iba en una dirección, pero Dios iba en otra. Había aplicado a muchos sitios, pero nadie me llamaba, excepto una boutique de ropa muy famosa en mi San Juan querida, donde iban muchos artistas a comprar su vestimenta. Me hicieron la prueba como vendedora y *fashion stylist* y me aceptaron. Comenzaba a trabajar en dos semanas. Al vivir en una isla del Caribe, permanentemente tenemos la amenaza de algún fenómeno atmosférico.

Ese año nos tocó, repentinamente, el huracán George. Así que la búsqueda de empleo comenzó de nuevo, debido a que la boutique me informó que no podía sostener en ese momento mi posición por las consecuencias del huracán.

Me acuerdo de la frustración que sentí en ese momento, sin saber que Dios tenía una idea mejor para mí. Recibí la llamada de una de las agencias de empleo donde tiempo atrás había solicitado una entrevista. Para mi sorpresa era una posición de Asistente de Mercadeo en una importante compañía del sector de la belleza. Allí comenzó mi carrera de Mercadeo, un tiempo de mucho sacrificio ya que vivía a una hora de camino del trabajo y tenía hora de entrada, pero no de salida. Allí tuve mentoras excelentes que me ayudaron y me enseñaron, de la teoría a la práctica. Me encantaba mi trabajo; aunque era difícil, lo disfrutaba. Fue un tiempo de mucho crecimiento profesional. En tres años tuve dos promociones y gané un reconocimiento del Gerente General, en el año 2000.

Luego tuve la oportunidad de trabajar en una multinacional de productos de alimentación infantil. Iba muy contenta de camino a mi primer día de trabajo, cantando y adorando a Dios, cuando de forma sublime, la voz del Espíritu de Dios habló a mi espíritu diciéndome: «Estás muy acostumbrada al éxito; ahora voy a trabajar con tu carácter». Ese día, en la primera reunión de equipos de la compañía, rápidamente pude ver lo que me esperaba. Creo que fue la plataforma que Dios utilizó para quebrantar todo encantamiento con la mentalidad de este mundo y traer crecimiento a mi vida.

El crecimiento no tenía que ver con el éxito profesional y el aumento de mis finanzas (aunque había sido muy prosperada); tenía que ver con el desarrollo de la mujer interior. El Señor quería trabajar con mi carácter, mis actitudes, como un padre con un hijo. Como profesional siempre di lo mejor, pero ¡qué difícil me resultaba mi proceso de transformación con Dios!

Entonces, hubo un «pero» en el camino y poco a poco, sin darme cuenta, comencé a comprometer mi tiempo a solas con Dios. Ese tiempo que dedicaba todos los días, donde Él me enseñaba a través de la Biblia y yo me sumergía en su Presencia disfrutando de su Espíritu Santo, pasó a estar en segundo lugar. Entonces aprendí que cada vez que comprometemos el primer lugar de Dios en nuestras vidas, sin darnos cuenta comenzamos a ser formados por el sistema y empezamos a tomar decisiones sin consultarle, que terminan desconectándonos de Él.

No me malinterpretes, sé que hay que trabajar. La diferencia está en que el trabajo no se puede convertir en nuestro Dios y es muy fácil caer en esa trampa. Cuando nos gusta lo que hacemos, olvidamos el tiempo sagrado de búsqueda de Su Presencia, donde somos entrenados y formados para cumplir una misión, cuando llegare el tiempo. Si somos buenos en algo, ya sea en el trabajo, en alguna afición o deporte, o lo más peligroso, incluso en el ministerio, tendemos a pensar de manera muy sutil, que no necesitamos a Dios para lograr nuestras metas. Nos gana el pensamiento de que, porque somos muy buenos y el esfuerzo nos lleva a la conquista, no hace falta nada más. A mi me sucedió.

Pasado un tiempo, en un momento de mucha presión en mi trabajo, sin buscarlo me surgió la oportunidad de trabajar en otra empresa multinacional. Mi lealtad a la compañía en la que estaba me llevó a dudar sobre si accedía o no a esa gran oportunidad, pero finalmente acepté. Allí comencé otro proceso de crecimiento, en el que fui muy valorada profesionalmente y como persona trabajé muchísimo. Los resultados que producía mi trabajo se volvieron adictivos y era muy perfeccionista.

Me acuerdo de la última promoción que tuve. No la esperaba porque nunca fui dada a hacer favores para conseguir algún ascenso, sino que siempre llegaron como fruto de mi trabajo. Mi profesión es Mercadeo y en ese momento me promovieron a *Regional Marketing Excellence Manager*, siendo parte de la directiva de la compañía y con un departamento a cargo. Cuando se reunieron conmigo para comunicarme la promoción, hubo algo que me marcó. El Gerente General me dijo: «*Tienes un don para ver las oportunidades de negocios y convertirlas en estrategias de crecimiento con resultados impresionantes. Es muy fácil para ti, pero tienes que trabajar con tu influencia en esta próxima etapa*».

En ese momento sabía que tenía que ver con mi proceso de formación y crecimiento, pero no fue fácil de digerir. Sin darme cuenta, dentro de mí había una lucha inmensa entre los dones y talentos que poseía, y la voluntad de Dios. Lo había desplazado de mi vida anteponiendo las añadiduras y regalos que me había hecho. Comencé una batalla interna inmensa. Se combinaron muchos factores difíciles en una misma temporada.

En el amor tuve muchos contratiempos; en esa área no era exitosa del todo. Algo que descubrí es que cuando no estás sano en las cosas fundamentales: tus pensamientos, la formación que tuviste y tu sistema de creencias, esto impacta al núcleo familiar. El amor propio, equilibrado y balanceado entre ambas partes, es el ingrediente clave para cargar un matrimonio, porque el amor es la esencia de todo, así como Dios es amor. Si no es así, en la convivencia todo se va a complicar y poco a poco van a salir aquellas cosas no resueltas, lo que provoca un colapso y un hogar inestable.

A mi me adiestraron para estudiar y realizarme como mujer primero, porque el día que me casara, si no funcionaba, me podía sostener. En esta etapa de mi vida pienso diferente; la prioridad debe ser entrenar a los hijos en los principios fundamentales que provocan que la vida se manifieste en ellos. Por consiguiente, el fruto del amor será el timón que dirija sus vidas.

Cuando tu amor propio está sano vas a amar en libertad y tendrás el discernimiento claro a la hora de dar un paso tan importante, como lo es el matrimonio. No creo en noviazgos largos y mucho menos en aceptar a la ligera una relación. Te cuento lo que aprendí en el amor, porque me casé, tuve un hijo maravilloso, pero no resultó y la separación del matrimonio, eventualmente terminó en divorcio.

Si hay algo difícil es levantarse de un divorcio cuando hay una criatura que depende de ti. Mi hijo fue el motor que me hizo echar a un lado todo lo que me producía dolor, para salir hacia adelante y ofrecerle lo mejor de mí. Esa temporada fue la que provocó que tomara la decisión de aferrarme al Señor y buscar a mi Amado, una vez más, para ser sanada y restaurada. Sabía que Él era quien podía ayudarme con su amor incondicional. Mi misión era volver a mi lugar como hija de Dios y disfrutar lo que solo el Padre me podía ofrecer: vivir en sanidad, paz, amor, gozo... todo lo que el dinero no puede comprar, y disfrutarlo a plenitud.

En mi quebranto lloré mucho, aunque me encargué de atravesar el proceso con las herramientas necesarias para levantar a mi hijo, de modo que él no pase por lo mismo. Aprendí a cerrar mis oídos automáticamente a personas que hablan con aparentes verdades absolutas, acerca del divorcio y del impacto que puede provocar en la vida de los hijos. Si bien es cierto que las decisiones tienen consecuencias, también creo en una verdad que puede transformar todas las cosas.

En mi tiempo de búsqueda intencional del Señor para encontrar respuestas que solo Él me podía ofrecer, recibí las promesas más hermosas que desde ese entonces son Sí y Amén. Una de ellas se encuentra en el libro de Isaías, en el capítulo 54, versículo 13, en donde encontré una afirmación poderosa: «*El Señor mismo instruirá a todos tus hijos, y grande será su bienestar*». Fue ahí donde descubrí que mi trabajo era instruir a mi hijo en el camino de la verdad, sembrando la Palabra de Dios en su corazón; pero que sería el Padre quien se encargaría de guiarlo y formarlo.

En la crianza he tomado decisiones y posturas firmes defendiendo mi descendencia. Mi hijo es un regalo de Dios enviado con propósitos eternos a la tierra. Creo que tengo una combinación entre «*mamá osa*» y «*mamá leona*», pero, sobre todas las cosas, esa fuerza proviene de mi Señor.

Nunca permitas que nadie lance una palabra mal dicha sobre tus hijos. Es tu responsabilidad defenderlos y cuidarlos. Si identificas que hay un patrón generacional en tu familia, que aun te toca a ti, hoy tienes la ventaja de revertirlo en las manos de Dios. Tus hijos no tienen que pasar por lo que tú pasaste; solo confía en que hay un plan divino. Tienes todo el derecho de vivir y disfrutar del fruto de tu siembra. Nunca te canses de sembrar porque llegará el día de tu cosecha.

*«Así es también la palabra que sale de mi boca:*
*No volverá a mí vacía, sino que hará lo que yo*
*deseo y cumplirá con mis propósitos». (Isaías 55:11)*

Cada palabra, principio y promesa que recibes del Padre requiere de tu esfuerzo en dos cosas: en creerla y en confiar en los tiempos difíciles.

Te cuento todo esto porque sé que hay muchas madres solteras, aparentemente sin esperanza, que lo único que escuchan es negativo y se han conformado con eso. Pero hoy es un nuevo día para comenzar de nuevo. Si esa es tu situación, en cada paso que decidas dar recuerda que no estás sola; hay personas encomendadas por el Señor para ayudarte. Mi fuerza la he desarrollado en los tiempos a solas con mi Señor, tiempos de intimidad; momentos para conocerlo y aprender una nueva forma de vivir, de acuerdo con su Reino y sus promesas para mí y los míos. Luego vas a poder identificar cuáles son las intenciones de los corazones de las personas que se acercan a ti.

Volviendo a mi historia, quiero que sepas que aprendí que la raíz de todo lo que estaba viviendo era mi falta de disciplina en mi tiempo con Dios. Por consiguiente, entré en ceguera espiritual. La manifestación del fruto del Espíritu Santo: amor, gozo, paz, paciencia, benignidad, bondad, fe, mansedumbre, templanza[13]  no era lo que dirigía mi vida; más bien era el fruto de la desconexión con Dios. Por alguna razón, al ser humano no le gusta ser guiado pero caer en el estado de la autosuficiencia es muy peligroso porque te puede llevar al desenfreno.[14]

Cuando no te das la oportunidad y el tiempo de estar en la presencia de Dios y Su Palabra, para dar sepultura a la vieja criatura que está viciada de hábitos y costumbres que no se alinean con Su voluntad, atrasas el proceso de sanidad y limpieza de tu alma, y tomas decisiones basadas en lo que hay en tu corazón. **El alineamiento con la verdad tiene que ser intencional.** Piensa en un momento de tu vida en el que tenías mucha sed y buscaste un vaso de agua para aliviarla. De igual forma, para la sed del alma y del espíritu, tienes que buscar la fuente correcta que sacie tu condición en el ser interior.

En ese proceso también aprendí que Dios no se ha perdido. Él permanece siempre fiel en el mismo lugar de encuentro, esperando que sus hijos se acerquen y le busquen. Somos nosotros los que hemos cambiado y nos hemos movido del lugar de encuentro con Dios.

Todas las experiencias que he vivido han sido tornadas para mi bien. Yo me había movido de lugar, pero, en cada una de esas etapas, descubrí que siempre hubo una fuerza mayor que me impulsaba a seguir hacia adelante, por encima de todos los pronósticos. Tal vez puedes pensar que eres fuerte, pero la realidad es que si canalizas tu fuerza en el lugar correcto es cuando podrás producir grandes victorias. Una fuerza hueca no tiene sentido. Hoy

---

13    Ver Gálatas 5:22-23

14    Ver Jeremías 17:9; Santiago 1:13; Santiago 4:1.

miro hacia atrás y sonrío agradecida al Señor por lo que ha hecho y por lo que continúa realizando en mi vida. El camino no es fácil, pero existe la garantía de Su guía, para que la travesía sea más fácil, de modo que la puedas disfrutar.

Hoy en día soy empresaria. Tengo una tienda virtual de ropa llamada zymbia.co, soy consultora de negocios y mercadeo y además, autora. También he tenido la oportunidad de ayudar a mujeres a levantar sus negocios desde su hogar. No hay mayor satisfacción que ser parte de la solución a una necesidad. Mi misión es llevar el mensaje de las buenas nuevas a personas que tienen un depósito en su interior para que sean activadas y cumplan el propósito de Dios en sus vidas.

No existe un tiempo cronológico para un nuevo comienzo; lo que hace falta es determinación y valentía, porque el Amado de tu alma es quien pelea tus batallas y te ha prometido estar contigo hasta el final.

## En resumen...

Cuida y valora el tiempo a solas con tu Creador. Su Espíritu Santo tiene la asignación divina de cuidarte, enseñarte, dirigirte y revestir tu ser interior. No permitas que los afanes de este mundo dicten tu día; más bien, sé tú quien decida escoger la vida que has sido llamado a vivir: una vida con propósito y destino. Recuerda que tú no eres producto de un accidente; eres importante para el Padre y tiene cuidado de ti. Aun en los tiempos más oscuros Él siempre ha estado presente, te ha amado y te ha cuidado, aunque tú no te dabas cuenta. ¿Puedes creerlo?

# Oración

Gracias, Señor, por cuidarme y protegerme en esta vida. Te pido perdón incluso por lo que hice cuando pensaba que tú no existías. Hoy te reconozco como mi Señor y mi Salvador. Decido aceptar mi pasado y abrazar mi presente para tener un futuro glorioso en ti. Gracias por tu amor y tus misericordias, que son nuevas cada día.

# Plan de Acción

## Comienza tu diario y escribe tu historia:

### Mi Diario

**FECHA:**

♥ **RETOS QUE ENFRENTO**

♥ **COSAS POR LAS CUALES ESTOY AGRADECIDO**
- ☐
- ☐
- ☐
- ☐
- ☐
- ☐
- ☐
- ☐

♥ **MI INSPIRACIÓN HOY**

Complementa este plan de acción con los recursos que encontrarás en
www.symbiadiaz.com

# 5

# El valor de la dependencia

«Ni lo alto ni lo profundo,
ni cosa alguna en toda la creación
podrá apartarnos del amor que
Dios nos ha manifestado en Cristo
Jesús nuestro Señor».
(Romanos 8:39)

U*no de los atributos de Dios es el amor. ¡Qué maravilloso!, ¿verdad?* Recuerdo que antes de rendirme ante Su llamado yo me resistí muchas veces; pero también, luego de haberlo aceptado, en ocasiones me encontré huyendo nuevamente de Su presencia. A veces tendemos a pensar que cuando cometemos errores no somos dignos y nos alejamos; sin darnos cuenta de que lo mejor que podemos hacer es acercarnos con humildad, para recibir su perdón e instrucción. No existe lugar al que podamos huir en el que el Padre no nos alcance. Si eres llamado has sido sellado y hay un propósito de reconciliar tu vida para acercarte a tu origen.

La Biblia narra que, en el principio, cuando el hombre fue creado recibió instrucciones claras. Dios hablaba con él todos los días y no había separación. Pero, cuando este decidió sobrepasar los límites que Dios le había establecido, fue cuando comenzó su caída. Empezó a tener miedo de su Creador, se escondía, cubría su desnudez y peor aún, no asumió la responsabilidad de sus actos, prefiriendo echarle la culpa a su esposa y a Dios mismo de su condición. ¿Te parece familiar?

Desde la caída del hombre existe una inclinación hacia el humanismo. A través de la historia, la humanidad ha querido probar su autosuficiencia e independencia de Dios,[15] motivada por la semilla del mal; esa que el hombre no acepta que ha sido enviada con un propósito, cuyo fin es la muerte. Esta es una de las seductoras mentiras disfrazadas del mal, en las que no ha aceptado que su condición emocional y espiritual es su arma de autodestrucción.

El ser humano ante la posibilidad de ser como Dios, aunque en su pensamiento consciente no lo admite, se deja seducir por la grandeza y la gloria. Aquí hago un paréntesis. Lucifer era el Ángel de la alabanza en el Reino de los cielos; su nombre significaba «*portador de luz*». En él había hermosura, porque Dios así lo había creado, pero decidió que tenía un mejor plan. Su problema fue que quiso ser como su Creador y pensó que la adoración y la fama tenían que ser para él. O sea, creía que merecía tal ovación.

Por naturaleza el ser humano tiene la inclinación a las vías cortas y caminos fáciles para lograr un fin. Esto implica muchas veces, consciente o inconscientemente, comprometer la integridad y la verdad dentro de su estilo de vida. Los hábitos de la mentira crean estructuras débiles en el interior de las personas, que posteriormente las lleva a la caída. Las primeras mentiras son aquellas que adoptamos y creemos como nuestra verdad. Por eso, para entender lo que te separa de Dios y cómo funciona el plan del mal contra el hombre, debes entender el principio de la mentira.

---

15    Ver Génesis 3:4-5.

Desde la fundación del mundo, el objetivo principal del engaño es captar tu atención para que no funciones en la verdad. Esa es la razón por la que, para muchos, esta tiende a ser algo difícil de creer. Si el pensamiento humano está impregnado de engaño, entonces lo adopta como una realidad absoluta.

La idea de la mentira es crear un nuevo sistema de creencias basado en todo aquello que te separa de Dios. Entonces, en la medida en que conozcas la verdad, tu mente es liberada de las prisiones que no te permiten vivir la verdadera vida. Sobre todas las cosas pide al Padre que te ilumine los ojos del entendimiento para que puedas ver con claridad y caminar en terreno seguro.

La creación del Padre fue diseñada con identidad propia y funciona de acuerdo a su especie y la forma que le dieron. En estos tiempos podemos ver cómo la identidad del ser humano se ha afectado, al punto que va errante por la vida sin tener un rumbo claro hacia dónde dirigirse. Cuando Dios creó los cielos y la tierra vio que todo era bueno; sin embargo, se dio cuenta que no había nadie que diera continuidad a Su obra. Es entonces cuando decide crear al hombre y a la mujer, Adán y Eva, a su imagen y semejanza para dar cumplimiento a un plan y un propósito. En Dios está la sabiduría, la ciencia y el poder creativo y les da las instrucciones claras y específicas para que se complete el plan.

Ya el hombre en su esencia había sido creado a la imagen de Dios, o sea, había sido completado y equipado para librar del pecado a la tierra. Así que, cuando fueron interceptados por la voz equivocada, ¿cuál fue la seducción con la que fueron tentados? Precisamente aquella que opera contra el diseño de Dios, es decir, con lo que ya cargaban dentro de sí. Es bien importante tener clara nuestra identidad, quiénes somos y cuál es nuestra misión de vida. De lo contrario, vamos a ser llevados de un lado a otro como marionetas que no tienen propósito trayendo como resultado el sufrimiento de la muerte en vida, y esa no es la voluntad de Dios.

## Verdad de Dios

Recibir instrucciones claras, ofrece libertad y todo lo que necesitamos dentro de los límites que ya estableció para que lo disfrutemos.

Génesis 3 muestra el primer ejemplo en el que el mal revela sus planes en contra del ser humano, teniendo como fin su muerte espiritual y física. La estrategia principal es desconectar al hombre de Dios para que viva en cautiverio. Si te preguntas por qué tanto interés en que eso suceda, la respuesta es muy sencilla: Un hombre sin la guía del Espíritu Santo y sin la cobertura de Dios está expuesto y es presa fácil para ser desviado de la voluntad y del Reino de Dios. Desde entonces se revela cómo funciona la estrategia del mal para hacer entrar al hombre en la prisión de sus pensamientos. Esto no ocurre de una manera obvia.[16]

Constantemente tenemos que pedirle a Dios que escudriñe nuestros corazones para que nos muestre si hay engaño en nosotros. Este es un acto de humildad que nos recuerda constantemente nuestra dependencia de Él.

Las tentaciones son tan reales como el aire que respiramos en este mundo. Estas te pueden llevar a la separación

---

16    Ver Santiago 1:14.

de tu propósito, tomando en cuenta que todo lo que nos separa del origen tiene un objetivo en contra de los planes de Dios. Desde la caída del hombre entró la corrupción y la creación nunca más volvió a ser igual. Es por eso que el Señor quiere reconciliar todas las cosas en Él para que regresen a su estado original. Por tanto, no te debes culpar por lo que has vivido, porque esa es la naturaleza de este mundo caído; pero sí debes entender que entrenarte para vivir una vida en armonía es parte del proceso.

El primer hombre y la primera mujer creados en la tierra fueron los primeros en enfrentar el engaño y el desafío de saber lo que cargaban dentro de sí, para el cumplimiento del plan y la voluntad de Dios. Ellos desertaron, cedieron ante la seducción que los engañó y los llevó por un camino de mucho dolor y sufrimiento como resultado de sus decisiones.

Muchas generaciones después, vemos a Jesús que fue enviado como el hijo de Dios con un propósito y una asignación clara, que Él sí entendió. Aun así, no estuvo exento de enfrentarse a la seducción y el engaño que ofrece el mal para desviarlo del cumplimiento y obediencia a Dios. Ten en cuenta que el mal constantemente te recuerda tu propósito, pero en forma de reto a la autoridad de Dios.

## ¿En qué áreas fue tentado Jesús? Mateo 4:1-11

### 1. Hambre
*Jesús llevaba 40 días en ayuno.*
Jesús fue capaz de mantener su postura ante el hambre, entendiendo que su provisión venía del cielo y que estaba en una etapa de prueba que lo llevaría a fortalecerse, si se mantenía firme. A través de la Biblia, vemos cómo hombres

de Dios cedieron sus derechos por un plato de comida.

Hoy día vemos cómo personas hacen cualquier cosa para satisfacer un deseo o necesidad fisiológica, hasta el punto de comprometer sus principios e identidad como la vía fácil ante deseos momentáneos. Jesús entendía que la Palabra, la instrucción de Dios, era su sustento y era suficiente para mantenerlo firme y con vida. Él estaba atravesando una realidad pero sus convicciones eran más fuertes que sus deseos temporales y esto lo llevó a la conquista.

Me encanta la Palabra cuando dice: *«Cuán benditos son los que tienen hambre y sed de justicia porque ellos serán llenados».* (Mateo 5:6, Nuevo Testamento Judío)

## 2. Reto a la autoridad

*Jesús cargaba en su esencia el poder de Dios.*

La segunda tentación iba en contra del propósito de Jesús: la destrucción del templo donde un día entregaría su vida para morir por nuestros pecados y así, en tres días, dar paso a la resurrección con la que vencería la muerte. Jesús sabía que llegaría el tiempo en que daría su vida para traer redención a la humanidad, pero todavía ese no era el momento. Él entendió que era el engaño del mal para hacerlo detener, antes del cumplimiento del tiempo. Es por eso por lo que es tentado con el desafío de entregar su vida en el pináculo del templo.

Jesús conocía el interior del ser humano y tenía la capacidad de discernir el engaño y la seducción del mal. Él fue tentado para que se lanzara al vacío. ¿Con qué fin? Desertar el plan de Dios. En los tiempos de fatiga puedes ser presa fácil para que te susurren al oído mentiras como: *«Tira la toalla. Dios sabe que estás cansado, Él te enviará ayuda».* Por eso, constantemente nos tenemos que cuidar en los momentos de vulnerabilidad y cansancio.

Fíjate que el mal le citó la Palabra y conocía el plan de Dios para Jesús. Es ahí donde vas a ser tentado para ser desviado del camino. Cuando no conoces el plan de Dios para tu vida, ya el mal se encargó de conocerlo para alejarte de él y provocar que no lo pongas en acción.

Analiza los patrones repetitivos en tu vida, fíjate dónde caes y pídele a Dios que te de sabiduría para ver con claridad y para que puedas tomar las mejores decisiones que te alejen de elegir lo incorrecto. En muchas ocasiones entramos en procesos de confusión porque la voz que estamos escuchando no es la de Dios.

### 3. Fama y grandeza

*Jesús sería la revelación del Reino de Dios en la tierra.*

¿Qué fue lo que la tentación le ofreció a Jesús? Los reinos de la tierra. En Jesús habitaba la esencia de Dios. Eso quiere decir que su propósito era expandir Su Reino en la tierra para dejar un legado. La tierra fue creada por Dios y le pertenece a Él, por tanto tienes que cuidarte del engaño; mucho más en esta época en la que el acceso a las redes sociales, crea un muy peligroso y falso concepto de popularidad, fama, o influencia.

En una ocasión me encontraba trabajando con un grupo de jóvenes en un proyecto de mercadeo y uno de los compañeros hizo un comentario que me pareció genial. Él dijo: *«En este tiempo muchos se llaman influenciadores, pero para mi no lo son, porque los verdaderos influenciadores son los que provocan un bien en ti y en la sociedad».* Las motivaciones del corazón son bien importantes en todo lo que haces. Si te encuentras en una temporada donde estás siendo seducido en este sentido, haz un alto y pregúntate: ¿Qué está detrás de todo esto? ¿Cuál es tu motivación? ¿Qué piensa Dios de esto? ¿Quién eres? Recuerda que es mejor ser conocido por Dios y no por los reinos de este mundo. Debes entender que somos mensajeros de Su paz y bienaventuranzas en la tierra, por el beneficio que nos da ser hijos de Dios. Nuestro norte debe de ser siempre que nuestra vida agrade y sea de honra a Dios.

Si eres un líder eclesiástico, con mucho respeto te pido que también tomes un momento para analizar tu corazón y revisar si tu ministerio le sirve a Dios o a ti.

El desenfreno por el reconocimiento y los vacíos del corazón llevan constantemente al ser humano a ceder su posición como hijos de Dios, a cambio de un poco de fama y grandeza. Esto aplica en todas las áreas de nuestras vidas. Pregúntate: ¿hasta dónde estás dispuesto a llegar por fama? ¿Eres capaz de sacrificar por el reconocimiento lo que tiene valor en tu vida, como la familia?

La respuesta de Jesús ante la fama nos sirve a todos de ejemplo, en los tiempos de tentación:

## «Humillación y exaltación de Cristo»

*Por lo tanto, si teneis algun estimulo que darme por estar vosotros en unión con el Mesías, cualquier consuelo que sea el resultado del amor, cualquier comunión con el Espíritu, o cualquier compasión y simpatía, completad mi gozo teniendo un propósito y un amor común, siendo de un solo corazón y mente. No hagáis nada por rivalidad o vanidad, sino en humildad, consideraos los unos a los otros como mejor que vosotros mismos, defender los intereses los unos de los otros y no solo vuestro propio interés personal. Permitid que vuestra actitud de los unos para con los otros sea gobernada por el hecho de que estéis unidos con el Mesías Yeshua: Aunque tuvo la forma de Dios, no consideró la igualdad con Dios como algo que poseer por la fuerza. Por el contrario, se vació a sí mismo, en el sentido de que adoptó la forma de un esclavo siendo como lo son los seres humanos. Y cuando apareció como un ser humano, se humilló a sí mismo aun mas siendo obediente incluso hasta la muerte, y la muerte sobre un estaca, como un criminal! Por tanto, Dios lo elevó al lugar más alto y le dio su nombre por encima de todos los demás nombres; y que en honor al nombre concedido a Yeshua toda rodilla ha de hincarse, en el cielo, en la tierra y bajo la tierra, y*

*cada lengua ha de reconocer que
Yeshua el Mesías es Adonai, por la
gloria de Dios Padre». (Filipenses
2, Nuevo Testamento Judio)*

Veamos:
- Jesús tuvo una identidad clara de quién es.
- Tomaba decisiones voluntariamente de acuerdo con Su propósito.
- Se humillaba constantemente y no se aferró a quien era.
- Fue obediente a su llamado.
- Tomó todos sus talentos y dones para servir a otros con amor.

Su recompensa fue la exaltación completa del Padre en los cielos y la tierra. No existe poder sobre Jesús porque en Él fueron consumadas todas las cosas.

## 4. Adoración e inclinación al mal.

*El mal buscaba que Jesús lo adorara a él y no a Dios.*

El hombre adora y se inclina hacia el mal cada vez que cede sus derechos como hijo de Dios. En el ámbito religioso se conoce como idolatría a la veneración dada a imágenes creadas por el hombre, cuyo fin es adorarlas y rendirles culto, esperando un resultado. Pero la adoración va más allá que simplemente postrarse ante una imagen; todo lo que ocupa el lugar de Dios en tu vida se convierte en idolatría. Vamos a desenmascarar la intención de esta tentación:[17]

---

17    Ezequiel 28:1-19

*«El Señor me dirigió la palabra: "Hijo de hombre, adviértele al rey de Tiro que así dice el Señor omnipotente: En la intimidad de tu arrogancia dijiste: 'Yo soy un dios. Me encuentro en alta mar sentado en un trono de dioses'. ¡Pero tú no eres un dios, aunque te creas que lo eres! ¡Tú eres un simple mortal! (...) Fuiste elegido querubín protector, porque yo así lo dispuse. A causa de tu hermosura te llenaste de orgullo. A causa de tu esplendor, corrompiste tu sabiduría (...) A la vista de todos los que te admiran te eché por tierra y te reduje a cenizas. Al verte, han quedado espantadas todas las naciones que te conocen. Has llegado a un final terrible, y ya no volverás a existir». Ezequiel 28:1-19*

Creo firmemente que a quien Dios le estaba hablando era al espíritu del mal que estaba siendo manifestado en el Rey de Tiro. El mismo espíritu que también anda buscando dónde posarse y habitar, tratando de encontrar la oportunidad de intentar ser como Dios en todas aquellas personas que así se lo permiten.

Mateo 6:21 enseña: «Porque donde esté tu tesoro allí también estará tu corazón», y esto es aplicable a nuestra vida diaria. Por ejemplo, si tu tesoro es tu trabajo, trabajarás y le servirás con todas tus fuerzas sacrificando a tu familia. Es fácil decir: «no soy idólatra, porque no adoro imágenes», pero piensa si algunas de estas cosas ocupan el lugar de Dios en tu vida:[18]

- Trabajo
- Placeres

---

18    Ver Salmos 135:15; 1 Juan 5:18.

- Preocupaciones
- Dinero
- Amigos
- Adicciones
- Reconocimiento

Todo lo que te controla tiene un origen idólatra. Analiza en dónde has cedido en una transacción voluntaria al orden de Dios. El Señor busca balancear nuestras vidas, no destruirlas. Precisamente fue lo que hizo el mal en su principio: buscar su gloria en un acto de desobediencia y reto a la autoridad. Es lo que actualmente busca en la humanidad, desvirtuar a Dios para cautivar la mente del hombre, porque si lo logra, ha ganado.

El plan del mal es capturar las mentes de los hijos de Dios para mantenerlos en cautiverio, de tal forma que no puedan manifestar a Jesús en la tierra. Comienza proponiendo placeres momentáneos que eleven tu ego y sin darte cuenta, pierdes el control de tu vida. Los excesos, en diferentes áreas de tu vida, se convierten en la orden de tu día sin lograr saciar tu sed.

¿Perdiste tu familia por el trabajo excesivo? ¿Las preocupaciones no te permiten disfrutar lo que tienes? ¿Vives una vida de escasez emocional? ¿Tienes una carrera muy exitosa, dinero y posición, pero tienes un vacío tan grande que hieres a quienes más amas? ¿Eres capaz de sacrificar lo más valioso en tu vida (familia, integridad, valores) para conseguir reconocimiento y dinero? ¿Sientes que vives en la prisión de tus pensamientos y no encuentras cómo salir? ¿Qué cosas se te han presentado que te han seducido y pensaste que eran buenas y cediste, pero ahora se han convertido en un trago amargo que no te permite vivir en libertad disfrutando los detalles y la simpleza de la vida? Si tu interior gime por vivir una vida de paz en armonía con el Espíritu Santo de Dios, entonces estás listo para el próximo paso.

Haz un alto, escribe todo lo que puedas identificar, ora a Dios y pídele perdón. Él es fiel y verdadero[19]

Te preguntas qué tiene que ver todo esto con la voluntad de Dios y contigo. Yo te digo: mucho. Si no sabes discernir, por el Espíritu, las artimañas del enemigo con el entendimiento claro, serás un blanco fácil; más aún cuando no conoces para qué fuiste creado y la voluntad de Dios para tu vida.

El deseo del Padre es llevar a sus hijos a completar el propósito que los devuelve al principio. Antes de la fundación del mundo no existía la separación entre el cielo y la tierra, o sea, entre Dios y el hombre. Pero por causa de la caída se manifestó la separación. Dios no tiene amistad íntima con el mal. El Señor nos escogió para que vivamos en el origen sin corrupción. Entonces, ¿quién te separará del amor? La respuesta es: todo lo opuesto a Él. Cuando la naturaleza caída domina tu vida, te desconecta de la fuente de vida. Veamos los atributos:

## Atributos del amor

*El amor es paciente.*
*El amor es bondadoso.*
*El amor es sincero.*
*El amor te da vida.*

---

19    Ver 1 Juan 5: 11-12.

*El amor cubre faltas.*
*El amor se entrega a sí mismo.*
*El amor da lo mejor.*
*El amor es incondicional.*
*El amor te lleva a crecer.*
*El amor produce amor y honra.*
*El amor produce sabiduría.*

## ¿Qué no es amor?

*No es celoso ni envidioso.*
*No es jactancioso*
*(vanaglorioso, presumido, vanidoso).*
*No es orgulloso ni arrogante.*
*No es grosero.*
*No es egoísta.*
*No se enfurece fácilmente.*
*No lleva la cuenta de las cosas malas.*
*No se goza del mal de otras personas.*

Pregúntate lo siguiente:

- ¿Hay alguna situación en la que cedí mis derechos de hijo y me dejé seducir por el mal, a través de todo lo que ofrecía? ¿Qué cosas he sacrificado?
- O por el contrario, ¿creo que lo que estoy viviendo, es por no ceder mis derechos y que pronto saldré fortalecido por el espíritu de la prueba de la tentación?
- ¿Cuál es el área que necesito fortalecer para crecer y madurar en el amor?

# En resumen...

En este capítulo tocamos puntos un poco delicados, pero necesarios. Son principios y verdades que, a medida que te adentres en el conocimiento de Dios, te guiarán y te llevarán a vencer en tiempos de dificultad.

Lo que no conoces de ti te seduce. Necesitas ser entrenado en el discernimiento, el dominio propio y la astucia que proviene del Padre para que no seas engañado por las artimañas del mal, sino más bien, que puedas vencer el mal con el bien. **La Palabra de Dios es tu espada y crea armonía en tu interior.**

# Oración

*Señor Jesús, reconozco que he pecado contra ti. Escudríñame y dime si hay camino de perversidad en mí que me aleja de tu voluntad. Ilumina los ojos de mi entendimiento para ver con claridad tus planes y para conocer mi identidad de hijo. Te necesito, Espíritu Santo. Quiero ser más como Jesús; quiero dar fruto en ti.*
*¡Te amo, Jesús!*

## Plan de Acción

¿Cuáles son esos tres obstáculos que no te permiten acercarte al amor?

1._____

_____

_____

2._____

_____

_____

3._____

_____

_____

¿Qué harías diferente si no tuvieras los obstáculos?

1._____

_____

_____

2._____

_____

3._____

¿Quién necesitas SER para hacer esto?
Necesito ser alguien que sea...

_____

_____

_____

¿Cuál es el propósito y el beneficio para acercarte al amor?

_____

_____

_____

# 6

# ¿Cuál voluntad?

«Cuando el Señor te aclara que
estás para seguirle en esta nueva
dirección, enfócate plenamente
en Él y niégate a distraerte por
las comparaciones con otros».
Charles R. Swindoll

El regalo más lindo que puedes experimentar es estar en armonía contigo y con Dios. Es disfrutar de la obra maestra que un día fue creada y manifiesta, de forma única y especial. Esa obra eres tú. Sin embargo, sea que conozcas la voluntad de Dios para tu vida, como si no lo sabes, es fácil caer preso en la mente de no aceptar tu naturaleza y rechazar el llamado que Él te ha dado. Quizás estás mirando a través del espejo del pasado, en donde las palabras que afirmaron tu vida fueron totalmente desviadas de la realidad y las has aceptado como parte de ti.

Entonces, ¿cómo puedes descubrir la voluntad del Padre para tu vida cuando no te aceptas? Es tiempo de hacer un alto, el Padre te invita a quitarte la vestidura de mendigo emocional para vestirte como un Hijo del Reino. Necesitas conocerte y aceptarte tal como eres. La comparación con otras personas no te permite crecer en aquello que te hace único. Mientras no aceptas tu principio, se te pasa la vida sin descubrir y entender tu esencia. Sin darte cuenta, muchos admiran quien eres; mientras que tú te encuentras ocupado en busca de hacer de tu vida una obra que no ha sido diseñada para ti. Te has encontrado buscando tu propósito en el molde de otro. Debes comprender que estás rodeado de un mundo sujeto a un estado de desequilibrio y corrupción, pero no es la voluntad del Padre que lleves una travesía por la vida donde tu fruto no lo represente. Él está despertando a sus hijos para que ejerzan fuerza en el mundo caído y por ello debes entender tu identidad, para que cuando se te presenten las imágenes distorsionadas del bien, puedas corresponder con astucia. No sufras por intentar ser la persona que no eres desde tu esencia. **Acéptate y celebra la vida.** Eres importante y tienes mucho por descubrir. Es saludable admirar a otras personas, pero no vivir su vida. De la misma manera, vas a necesitar ejercer una voluntad firme ante los desafíos del mundo. Uno de ellos son las voces que quieren etiquetarte como quien tú no eres. Si caes en su trampa quedarás preso en tu mente y serás controlado. **Honra tu naturaleza y tu vida cobrará sentido.**

Algo que admiro de Jesús, el hijo de Dios que se humilló por ti y por mí, es que constantemente estaba en oración, buscando la comunión con el Padre. Tenía la Palabra que era su alimento, en Él estaba el poder para transformar y contaba con el respaldo de Dios. En Él estaba el Reino; no necesitaba uno externo. Sin embargo, no fue presumido ni arrogante, ante un reinado que ya le pertenecía. Aun así, fue tentado exactamente con los pilares del plan de Dios y la voluntad para su vida.

Hoy en día hay una mentira muy sutil que se ha colado incluso en el sistema eclesiástico. Muchos dicen: «*No tengo que estar todos los días en oración, porque Dios conoce todas las cosas*». Es una mentira cuyo fin es debilitarte. Si Jesús, el hijo de Dios lo hacía, ¿cómo no lo vas a hacer tú?

Lo que está detrás del interés del mal es cautivar tu mente con aquello que te gusta. No todo lo que aparenta ser bueno y sano viene a ti para producir un bien. La Palabra de Dios enseña en 1 Corintios 10:23: «*Todo está permitido, pero no todo es provechoso. Todo está permitido*», *pero no todo es constructivo*». Es por eso por lo que es necesario ir a los pies del Maestro, día a día, a través de su Espíritu Santo, para recibir de Él la fortaleza y el discernimiento indispensables en el diario vivir y para saber debatir las ofertas que no son provechosas y las que no vienen de Dios.

Fíjate que cuando Jesús fue tentado lo que primero que hizo el mal fue ofrecerle todos los reinos del mundo antes de tirar su última carta, que era su objetivo final: lograr que entregara su derecho como hijo de Dios para adorarlo y tomar el control de su vida. Y eso mismo quiere hacer contigo. Recuerda que muchas veces la seducción a la idolatría de este mundo se te va a presentar en un momento de vulnerabilidad donde, si no te has adiestrado en la Palabra de Dios y en el conocimiento y revelación de Su persona, vas a ceder y como resultado vivirás una vida de cautiverio.

La estrategia del mal es aislarte de la voluntad y el plan de Dios para ti. Por eso, muchas veces te encuentras en un debate mental contra Él, haciéndolo responsable de tus hechos, sin darte cuenta de que has caído en la trampa del enemigo de las almas y lo que sucede es que mientras más culpas a Dios, más miserable sientes que es tu vida. La buena noticia es que nunca es tarde para cambiar de rumbo. Arrepiéntete y humíllate a los pies del Maestro que te ama con amor eterno, y te aseguro que encontrarás eso que te falta, aunque lo tengas todo.

En el diario vivir vemos cómo muchas cosas en la vida se pueden convertir en ídolos. Dice la Palabra en Mateo 6:21, que donde esté tu tesoro allí también estará tu corazón. Y con esto no busco que te sientas condenado, al contrario, creo que Dios quiere desenmascarar la mentira del mal que por años ha mantenido a sus hijos alejados del plan original para sus vidas.[20]

Te voy a dar un par de ejemplos cotidianos, que te pueden ayudar a identificar mejor, cómo, en diferentes áreas de la vida, la influencia de la seducción te puede llevar a vivir bajo engaño y a tomar decisiones que te apartan del diseño original de Dios para ti:

Un ejemplo es la ambición de tener una casa más grande, solo porque tus amigos compraron una, cuando la que tienes cumple con su función y está al alcance de tu presupuesto. Y con esto no quiero decir que sea malo aspirar a estar mejor: el problema está cuando se sacrifican los principios y responsabilidades primarias por obtener ese fin.

Otro ejemplo es cuando comienzas a comprometer tu tiempo y energía en cosas que no has sido llamado a realizar, abandonando las que sí tenías que hacer. Sin darte cuenta, llega el momento en que la carga es tan grande que no la puedes sostener y en este, como en el ejemplo anterior, poco a poco vas comprometiendo lo que tiene valía hasta llegar a perder lo que tanto amabas.

¿De verdad vale la pena? Si la respuesta es no, entonces entrénate para tener una voluntad firme, basada en la voluntad de Dios.

---

20    Ver Hebreos 12 1-4.

# Define la voluntad

Quiero comenzar con las siguientes preguntas: ¿Dónde se encuentra la voluntad de Dios? ¿Es una fuerza externa a tí? ¿Es un listado de cosas cotidianas que adoptas en tus planes como un propósito? o, ¿es el misterio de tu existencia escondido en Dios que, a través de la búsqueda, vas descubriendo poco a poco en la profundidad de la comunión con el Señor?

Entonces, definamos dos conceptos básicos: voluntad y deseo.

**Voluntad** proviene del latín *voluntas, voluntātis* (verbo *volo* = 'querer', y sufijo *-tas, -tatis* = '-dad', '-idad', en castellano), y consiste en la capacidad de los seres humanos que les mueve a hacer cosas de manera intencionada. Es la facultad que permite al ser humano gobernar sus actos, decidir con libertad y optar por un tipo de conducta determinado. La voluntad es el poder de elección con ayuda de la conciencia.[21]

**Deseo,** viene del latín vulgar *Desidium* = 'ociosidad, deseo, libido`. *Desidium* proviene del latín clásico desidia, 'ociosidad, pereza, permanecer sentado, detenerse', que se compone del prefijo de- y el verbo *sedere* 'estar sentado'.

Otro significado de deseo es el anhelo de saciar un gusto.[22]

Con estos conceptos claros, te hago una pregunta: ¿Qué hay en tu conciencia que no te permite ver con claridad, gustar y escuchar lo correcto? La respuesta es simple:

---

21, 22 Consulta en línea: www.etimologias.dechile.net

distracción. Como ya has leído anteriormente, Jesús fue llevado al desierto por el Espíritu para ser tentado, antes que diera cumplimiento a Su propósito en la tierra. Tuvo que enfrentar un momento de vulnerabilidad donde el engaño y la seducción tocaron Su vida, pues Él llevaba 40 días en ayuno, solo en el desierto. ¿Puedes imaginarte el panorama? ¿Cuáles fueron las primeras mentiras que el mal susurró a Su oído? Como siempre lo hace, el mal le habló palabras que retan el plan de Dios.

Jesús es el hijo de Dios que vino a este mundo a dar cumplimiento al pacto que Dios había hecho de redimir todas las cosas. Él conocía la voluntad de Dios para su vida y el plan que tenía que dar cumplimiento. Él pudo, como el primer Adán, haber abortado el plan... pero no lo hizo. ¡Gloria a Dios! En sus últimos momentos, antes de morir como hombre, experimentó dos momentos decisivos:

El primero de ellos fue cuando se acercaba la hora de su muerte. Jesús pasó un proceso muy humano, se afligió y angustió. Oró al Padre tres veces consecutivas para que, si era posible, cambiara el plan y el dolor que estaba experimentando.[23]

El segundo, fue cuando estaba en la cruz muriendo. Estaba viviendo una condena injusta, recibió la burla y la vergüenza que no merecía. Estaba dando sepultura al pecado y a la muerte de la humanidad. Hubo un momento donde el dolor era tan fuerte que el Padre apartó su mirada, Jesús experimentó el abandono de su Padre y por última vez le suplicó si era posible que cambiara el plan.[24] Pero decidió resistir el mal y obedecer el mandato

---

23    Mateo 26:36-46

24    Mateo 27:45-50

de Dios, cuyo resultado fue vencer a la muerte en la cruz para que hoy, tú y yo, tuviéramos vida en abundancia.

En el proceso de búsqueda del propósito de mi vida, aprendí algo muy valioso y deseo compartirlo contigo:

**A medida que vas conociendo la verdad escrita en la Palabra y haces de los principios tu estilo de vida, tu entendimiento se expande y conoces tu origen.** Entonces, comienzas a vivir bajo la cobertura de Dios de una manera consciente. Te darás cuenta de la diferencia entre el sistema de creencias del mundo que es gobernado por los principados y potestades, cuyo fin es muerte versus el Reino de Dios que produce vida.

He descubierto que la verdad disipa la mentira y como resultado puedes vivir en libertad. Muchos no lo pueden entender porque no les ha sido revelado y para ellos es locura. Pero, cuando caminas en la verdad, puedes atravesar el valle oscuro con la certeza y confianza de que tu vida está protegida y cumple un propósito que será completado. Entonces, en tus labios habrá una palabra de gratitud ante los desafíos que se presenten porque tienes claro que todas las cosas se tornarán en bien, cuando amas y confías en la verdad. Dios es la luz y es amor y donde hay tinieblas la luz ilumina.

## En resumen

La mejor forma de permanecer firme es aceptando tu naturaleza y llamado como hijo de Dios. Lo que no aceptas de ti no puede ser manifiesto. Mírate como el Padre te mira a través de su Hijo amado, con amor y valía. Atrévete a aceptar los regalos que solo a ti te pertenecen.

Luego de la aceptación vas a entrar en un proceso donde tu naturaleza será retada; pero, no te preocupes, será un tiempo de crecimiento necesario en tu vida. No abortes tu proceso. Date permiso a un nuevo nacimiento basado en la Palabra y en lo que el Padre ya dijo sobre ti. No entres en contiendas por lo que estás pasando. Usa la astucia porque mayor es el que está en ti que el que está en el mundo. Ya la orden fue dicha y en Él eres más que vencedor.

Fortalécete en oración, una y otra vez. Crea tu lugar de encuentro con el Espíritu Santo a diario, para que recibas la Palabra que te ayudará a vencer como Cristo venció. A través de Él somos más que vencedores, pero tienes que creerlo y abrazar la verdad.

Confío en que recibas poder por la Palabra de Dios y que pronto mires atrás y solo veas cenizas de la vieja naturaleza.

## Oración

*Espíritu Santo, ayúdame a descubrir y a aceptar mi naturaleza como Hijo de Dios. Quiero tener una voluntad firme en tus propósitos. Hoy decido renunciar a la vieja naturaleza y acepto tu llamado. Enséñame el camino de la verdad. Gracias, Señor.*

# Plan de Acción

Identifica cuál es la voluntad que te guía, para tener mayor claridad en el proceso. Haz un análisis consciente y honesto contigo mismo, para entender las distracciones que te alejan de conocer Su voluntad.

Hazte las siguientes preguntas:

- Identifica cuáles son las distracciones que no te permiten VER, CONOCER y SER.

_____

_____

_____

- ¿Qué oportunidades tienes frente a ti?

_____

_____

_____

- ¿Cómo puedes usar tus fortalezas en la vida?

_____

_____

_____

- ¿Cómo puedes convertir un reto en una oportunidad?

_____

_____

_____

- ¿Qué ideas has tenido que has estado posponiendo?
(Piensa en eso que realmente te hace sonreír).

_____

_____

_____

- ¿Cuál es tu voluntad?          ¿Cuáles son tus deseos?

_____        _____

_____        _____

_____        _____

- ¿Cuál es la voluntad de Dios?

_____

_____

_____

Complementa este plan de acción con los recursos que encontrarás en
www.symbiadiaz.com

# 7

# Amor sobre temor

«No tengan miedo, mi rebaño pequeño, porque es la buena voluntad del Padre darles el reino». (Lucas 12:32)

Te has sentido detenido en el camino con sentimientos de miedo? ¿Te preguntas, una y otra vez, por qué te pasa esto?

¿Lo has pensado alguna vez? La buena noticia es que el Señor quiere liberarte del temor. En este capítulo vas a aprender a identificar lo que te detiene, mi objetivo es que vivas en la plenitud del amor. Cuando confrontes tu vida con la Palabra de Dios en un acto genuino, vas a ser transformado por el Señor.

En la luz no hay tinieblas; todo lo que proviene de la oscuridad te hace tropezar. Permite que la luz te muestre el camino que te lleva a la verdad para que puedan ser restauradas todas las cosas. No te asustes cuando tengas que enfrentar los escombros.

Vivimos en un mundo incierto, en donde hay un bombardeo increíble de malas noticias que provocan terror. Ciertamente estamos en tiempos difíciles. Para vivir en la paz de Dios que sobrepasa todo entendimiento, aquella paz que el Padre nos ha regalado por Su Gracia, tenemos que trabajar para mantenerla. Es ahí cuando nos convertimos en pacificadores.

Esto quiere decir que tienes que ejercer tu voluntad proactivamente ante las situaciones cotidianas. Recuerda que la voluntad es la fuerza que te lleva a realizar algo; por tanto, como ser humano necesitas ejercerla para llevar del conocimiento al cumplimiento la voluntad de Dios. De lo contrario puedes entrar en una parálisis espiritual que no te permita crecer y avanzar en tu propósito.

Definitivamente el Señor sabía que, a través de las generaciones y siglos, esto iba a ser un factor clave en el avance del Reino. Es por eso por lo que, desde los tiempos primitivos, vemos cómo le da instrucciones claras a sus hijos y seguido les dice: *«No temas, porque yo estoy contigo».* (Isaías 41:10). Les da la garantía y promesa de victoria en los diferentes escenarios de la vida. Esto lo vemos en toda la Palabra de Dios.

> *«Pues Dios no nos ha dado un espíritu*
> *de temor y timidez sino de poder, amor*
> *y autodisciplina». (2 Timoteo 1:7, NTV)*

Comenzamos a vivir una vida alineada a la voluntad de Dios, cuando entendemos que en nuestras propias fuerzas somos simples mortales, y decidimos creer en una fuerza mayor: la del poder de Dios que por gracia hemos recibido, con instrucciones claras para ejecutar todo lo que se nos dice en lo secreto.

> *«No todo el que me dice: "Señor, Señor", entrará*
> *en el reino de los cielos, sino solo*
> *el que hace la voluntad de mi Padre*
> *que está en el cielo». (Mateo 7:21)*

*«Por tanto, todo el que oye estas palabras y las
pone en práctica es como un hombre prudente
que construyó su casa sobre
la roca». (Mateo 7:24)*

Lo que nos lleva a ser hacedores de Su verdad es que tomemos cada enseñanza de la Palabra de Dios y la pongamos en práctica. A medida que nuestra prioridad sea aprender sus enseñanzas, y darle cumplimiento para avanzar el Reino en la tierra, entonces seremos personas prudentes, aunque no perfectas. Nuestra meta debe ser creer la Palabra de Dios y esperar con paciencia, entendiendo que fiel es el que prometió.

Soy de las personas que prefiero aprender de las experiencias de otros, en especial de hombres y mujeres que han vivido previo a nosotros y que están documentados en la Biblia. Generalmente son historias fascinantes que las podemos atemperar a estos tiempos modernos, porque los principios no cambian. La historia de Abraham es una de ellas, ya que encierra mucha sabiduría y estructura. Antes de comenzar, te quiero ubicar un poco en el contexto de su vida.

Abraham fue un hombre común que no provenía de un linaje sacerdotal; al contrario, se dice que su familia era idólatra, de la tierra de Mesopotamia. Sin embargo, un día recibió una visita de parte de Dios, en la que le fue dada una promesa e instrucciones específicas acerca de su descendencia. Pero, había un detalle: Dios no le dio el mapa completo de cómo sería esto realizado. ¿Te es familiar la situación? A veces queremos tener todas las respuestas, antes de caminar; pero no fue así en el caso de Abraham. Él creyó y caminó, aunque no sabía hacia dónde se dirigía. Lo más espectacular es que su esposa lo siguió.

Aunque muchas promesas se cumplieron, pasaron muchos años antes de ver cumplida aquella específica acerca de su descendencia. Por eso ellos, en su humanidad, tomaron la vía rápida y trataron de «ayudar» a Dios en ese cumplimiento; pero cometieron muchos errores. Ahora bien, a pesar de eso, Abraham siempre se mantuvo creyendo, caminando y buscando a Dios continuamente. Esta historia la puedes encontrar en Génesis 12:1-3. Ahora bien, Romanos 4:17-22[25] enseña tres características que hicieron que Abraham le fuera contada su fe. Veamos:

## 1. Creyó en el Dios que da vida a los muertos

Quiero presentarte dos escenarios de vida:

El primero comienza con una pregunta: ¿Alguna vez has recibido una instrucción de parte de Dios, que afirme Sus planes para contigo? Si nunca has tenido esta experiencia, te invito a tomar tiempo para reflexionar. No te desesperes y busca en oración y meditación de la Palabra, la dirección que va a dar inicio a una nueva temporada de propósito en tu vida.

Cuando tengas la certeza de Su plan, créelo, atesóralo y camina en ese mapa que el Señor te presenta, aunque no tengas los detalles completos. Solo necesitas una Palabra.

Si eres de los que recibiste hace mucho tiempo una instrucción de Dios pero la has olvidado, te invito a que hagas

---

25    Ver Romanos 4:17-22

memoria del momento en que tuviste ese encuentro genuino con el Señor y fuiste afirmado y justificado por fe.

El segundo, recuerda cuando fuiste afirmado y justificado por fe. Piensa qué palabra o sueño recibiste de parte de Dios. ¿Se cumplió? ¿O todavía esperas su cumplimiento?

Si ya se cumplió, mantente firme en el camino que has sido llamado a recorrer. Si no se ha cumplido, espera.

Si nunca has recibido una promesa, creo firmemente que el hecho que te estés acercando más a conocer acerca de la Palabra de Dios, es un indicador de que es muy probable que el Padre esté sembrando el querer como el hacer Su voluntad en tu vida. ¡Qué hermoso!

### 2. Además de creer, esperó

Abraham no solo creyó a Dios sino que también esperó y, aunque tuvo dificultades en el camino y cometió errores, permaneció creyendo.

Dios anhela que des fruto mientras aguardas el cumplimiento de la promesa. El problema está en que muchas veces, sin darte cuenta, la impaciencia te lleva a abortar el proceso. No desmayes, cree y espera.

### 3. Su fe no flaqueó

Cuando aceptas la decepción en tu vida, sin darte cuenta entras en un proceso de incredulidad y de desconfianza hacia Dios. Esto abre las puertas al engaño que produce incertidumbre y temor en ti.

## ¿Qué significa el temor?

El temor se define como «*el sentimiento de inquietud o angustia que impulsa a huir o evitar aquello que se considera dañino, arriesgado o peligroso. La palabra, como tal, proviene del latín timor, timōris, que significa 'miedo' o 'espanto'».*[26]

*«La palabra miedo proviene del término latino metus. Se trata de una alteración del ánimo que produce angustia ante un peligro o un eventual perjuicio, ya sea producto de la imaginación o propio de la realidad.*

*Sinónimos de temor: desconfianza, miedo, recelo, sospecha, suspicacia, inquietud, preocupación».*[27]

Quiero aclarar que cuando hablamos de temor, en este capítulo, nos referimos al miedo irracional que te paraliza, consciente o inconscientemente, para realizar la voluntad de Dios.

La Palabra nos enseña dos claves muy importantes cuando tenemos que trabajar los miedos. **La primera, es que solo el amor echa fuera el temor. La segunda, es que el que teme no ha sido perfeccionado en el amor.**[28] Esto me deja ver que cuando hay temor en nuestro corazón es porque necesitamos hacer un alto, volvernos a Dios y pedirle que nos perfeccione con Su amor. El temor es una semilla que siembra el maligno para paralizar a los hijos de Dios.

El primer mandamiento que tenemos que cumplir es el siguiente:

> *«Ama al Señor tu Dios con todo tu corazón, con todo tu ser y con toda tu mente" —le respondió Jesús—. Este es el primero y el más importante de los mandamientos. El segundo se parece a este: "Ama a tu prójimo como a ti mismo"». (Mateo 22: 37 – 39)*

---

26    Consulta en línea. Significados.com.

27    Consulta en línea. Sinónimos.es.

28    1 Juan 4:18

Cuando amas no hay espacio para el temor. El amor te lleva a producir lo que espera Dios de ti. Veamos las características del amor basadas en 1 Corintios 13:4-13 y cuando leas el fruto que produce el amor en ti, escribe las áreas en las que tú entiendes que necesitas ser perfeccionado, y entrégaselas al Señor en oración. Pídele que te ayude a producir el buen fruto.

*«El amor es paciente, es bondadoso.*
*El amor no es envidioso ni jactancioso*
*ni orgulloso. No se comporta con rudeza, no*
*es egoísta, no se enoja fácilmente, no guarda*
*rencor. El amor no se deleita en la maldad, sino*
*que se regocija con la verdad. Todo lo disculpa,*
*todo lo cree, todo lo espera, todo lo soporta. El*
*amor jamás se extingue...». (1 Corintios 13:4 -8)*

El modelo ha sido enseñado por Jesús. El Señor te ha dado la clave en Su Palabra para vencer el temor irracional en tu ser interior: es el AMOR.

He escuchado a personas decir, una y otra vez, lo siguiente: «Somos humanos, no somos perfectos». Y aunque en parte es verdad, he descubierto que es una excusa para no asumir su postura como hijos de Dios. Es más fácil cargar a otros con sus problemas que asumir responsabilidad de su vida. Por eso vemos a muchas personas que lo único que hablan es queja, frustración, enemistad con Dios y la iglesia, entre muchas más cosas.

Esto se produce porque cuando entras en un debate contigo mismo, tienes debates con el prójimo y como resultado, contra Dios. El Señor nos está invitando a madurar, a dejar la leche espiritual y a comer alimento sólido.[29]

---

29  Ver Hebreos 5 12-14.

Ese proceso se hace más fácil cuando nos esforzamos, día a día, por implementar principios en nuestra vida. Uno de ellos es la renovación constante de nuestra mente.[30] En la Palabra vemos cómo somos retados constantemente a entender los misterios del Reino de Dios; pero no podemos recibir lo nuevo, cuando hemos decidido permanecer aferrados a este mundo, a lo conocido.

La indicación es que despejes la mente y des lugar a un nuevo entendimiento para que tu lenguaje cambie. Si tu lenguaje cambia, alineado a la Palabra de Dios, tu vida va a ser impactada, comenzarás a florecer y tu fruto alimentará a muchos. Dejarás de ser un niño espiritual para convertirte en un adulto. De lo contrario, vas a vivir de manifestaciones espirituales manteniéndote en la orilla, en el lugar seguro que conoces.

En medio de la sociedad que estamos viviendo, necesitamos ver a los José, Daniel y Débora de este tiempo; personas valientes que no son movidas por las circunstancias. En los tiempos de crisis mantienen su postura en la fe y no sacrifican su intimidad con Dios. Se mueven por convicción en el Espíritu, no por emociones. Son personas cuya fidelidad a Dios es tal, que prefieren humillarse antes de ceder a sus principios.

## El amor produce sabiduría y te preserva

Ahora vamos a ver lo contrario al amor, con el propósito de meditar si tienes raíces que debes sanar. A modo de introspección, escudriña cuál es el origen de tus miedos.

---

30    Ver Efesios 4:23-32.

Mira a continuación el siguiente modelo figurativo:

## MIEDO, ANGUSTIA, FALTA DE PERDÓN

### Desconfianza
- Se manifiesta como: Cautela, precaución, sospecha, suspicacia, aprensión, escrúpulo, miedo, recelo, temor, escepticismo, incredulidad.

*Lo cambias con:*
Confianza, seguridad, tranquilidad.
- Palabras para meditar: Isaías 26:3, Salmos 37:3, Salmos 4:8, Proverbios 3:5, Nahúm 1:7.

### Preocupación
- Se manifiesta como: Desasosiego, intranquilidad, ansiedad, nerviosismo, inquietud, recelo,  pesadumbre, malestar, desazón, insomnio, angustia, manía, neurosis.

*Lo cambias con:*
Responsabilidad, cuidado.
- Palabras para meditar: Mateo 6:25, 1 Pedro 5:7, Isaías 41:10.

## Miedo

- Se manifiesta como: Temor, terror, pavor, pánico, espanto, horror, alarma, susto, recelo, sobresalto, aprensión, desconfianza, canguelo, turbación, sorpresa, asombro, desasosiego, cobardía.

*Lo cambias con:*
Valor, valentía, tranquilidad.
- Palabras para meditar: Salmos 27:1, Salmos 23:4, Isaías 41:13, Juan 14:27, Josué 1:9.

## Angustia

- Se manifiesta como: Intranquilidad, malestar, pesadumbre, ansiedad, desconsuelo, incertidumbre, pesar, zozobra, aflicción, ansia, congoja, desesperación, preocupación, inquietud, pena, tormento, tristeza.

*Lo cambias con:*
Alegría, tranquilidad, alivio, paz.
- Palabras para meditar: Salmos 118:5, Juan 16:33, Romanos 8:35-39.

## Falta de perdón

Se manifiesta como: Carencia, privación, penuria, escasez, déficit, insuficiencia, pobreza, estrechez, condena, castigo.

*Lo cambias con:*
Abundancia, riqueza.[31]
- Palabras para meditar: Salmos 103:10-12, Miqueas 7:18-19, Mateo 6:14-15, Marcos 11:25, Lucas 6:37, Lucas 7:47-48, Colosenses 1:13-14, 1 Juan 1:9.

---

31    Consulta en línea. wordreference.com = todos los significados de las palabras con sus antónimos.

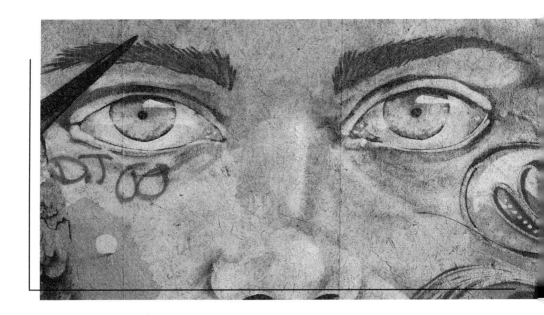

La raíz del temor irracional se traduce en desconfianza hacia Dios. Piensas que confías en Él porque eres un «buen cristiano» que visita la iglesia; o quizás no visitas ninguna, pero dices: «*No le hago daño a nadie, yo ayudo a las personas*». Sin embargo, cuando analizas tus pensamientos, realmente quieres controlar cada movimiento de tu vida e inconscientemente le estás pidiendo que cumpla tu voluntad, tus deseos y tus formas de hacer las cosas aquí en la tierra. Es irónico porque el ser humano, en muchas ocasiones, piensa que tiene el mejor plan y se lo presenta a Dios para que sea aprobado por Él. **Dios es soberano y sobre Él nadie gobierna.**

En el momento en que decides despojarte de todo lo que no te deja avanzar es cuando comienzas a crecer. Si identificas que en tu corazón hay raíces que sanar, reconócelo en humildad ante Su Presencia y pídele que te sane. Créeme que va a ser una de las oraciones más poderosas que puedes hacer. La Biblia enseña que lo contrario al temor es el amor y cuando eres edificado por el amor, cada parte de tu ser comienza a vivificar.

¿Te has dado cuenta cómo se nota que una persona está enamorada? Su rostro se ilumina y parece que va caminando por las nubes. Imagínate cuánto más puede producir el amor del Padre en ti. Es ahí donde debes fijar tu mirada, porque Él quiere lo mejor para ti.

El Señor dice que su carga es liviana y ligera; o sea, que no coloca sobre ti un peso que no puedas llevar. Hay un ejercicio que yo practico de continuo y es que cuando me doy cuenta que estoy muy tensa o ansiosa, hago un alto y analizo mi entorno y mi vida para entender qué me está causando esas sensaciones. A veces he encontrado que son cosas sencillas, como: una serie de televisión; que he hecho mío el problema de otra persona; o simplemente, una preocupación por algo no resuelto. He aprendido que el Señor siempre va a producir en tu interior armonía y paz, aun en medio de la dificultad; por lo tanto, es importante identificar lo que te causa lo mismo. Tu oración genuina llegará ante el Padre con olor fragante y agradable. **Todo lo bueno viene de Él; te toca a ti amarlo y respetarlo.**

También es muy importante que determines tener una disciplina de lectura de la Palabra de Dios, para que el Espíritu Santo pueda establecer en tu mente principios que despejarán los pensamientos contrarios a Dios. Es entonces cuando podrás con claridad comenzar a ejercer el don de discernimiento y pronto te convertirás en un adulto espiritual, utilizando la armadura correcta y permaneciendo firme en el Señor. El discernimiento es la capacidad de poder tener un juicio entre el bien y el mal, utilizando el conocimiento y el criterio correcto de la verdad.

En el proceso puede que cometas errores y está bien. Lo importante es que te mantengas caminando y perseverando, entendiendo que el que comenzó la obra en ti la va a terminar. Siempre recuerda que Dios es bueno y fiel.

## En resumen

Cuando afirmes que confías en Dios contra toda contrariedad, ocurrirá algo maravilloso en tu interior: comenzará a manifestarse la esencia de Dios, a través de Su paz.[32] La verdad te hace libre y te lleva a vivir en armonía de manera intencional. Llénate de valor y renuncia a todo lo que no te permite crecer y conocer a tu Creador. No huyas de tu pasado, enfréntalo y permite que tu nueva naturaleza sea perfeccionada en ti. Anhela conocer a Dios en Su Palabra para que puedas vivir en libertad. Su voluntad es sanar tu corazón y completar Su propósito en tu vida. **Eres portador de su amor.**

## Oración

*Señor, te doy gracias porque me has llamado hijo y como buen Padre quieres lo mejor para mí. Gracias por enseñarme cada día. Te pido con todo mi ser que sanes mi corazón. Reconozco que necesito ser perfeccionado en tu amor; enséñame a confiar en ti. Hoy decido cerrar la puerta al temor y extenderme a tu amor. Límpiame y haz conmigo conforme a tu voluntad.*

---

32    Ver 2 Timoteo 1, NTV.

# Plan de Acción

Saca un tiempo para meditar y hacer un análisis intros-pectivo, con la ayuda del Espíritu Santo, y escribe aquellos temores, patrones o asuntos no resueltos del pasado que has identificado. Luego, escribe al lado varios versículos bíblicos que destronan esa mentira y por un tiempo, día a día, medita en esas palabras y créelas.

¿Cuál es la meta? Elevar tu nivel de conciencia, ali-neada a la Palabra de Dios, para que se produzcan en ti cambios eternos.

*«Pero el fruto del Espíritu es amor, gozo, paz, paciencia, amabilidad, bondad, fidelidad, humildad, autocontrol». (Gálatas 5:22, Nuevo Testamento Judío)*

Temores                          Versículos Bíblicos

_____        _____

_____        _____

_____        _____

_____        _____

_____        _____

_____        _____

| Patrones Repetitivos | Versículos Bíblicos |
|---|---|
| _____ | _____ |
| _____ | _____ |
| _____ | _____ |
| _____ | _____ |
| _____ | _____ |
| _____ | _____ |

| Asuntos no resueltos | Versículos Bíblicos |
|---|---|
| _____ | _____ |
| _____ | _____ |
| _____ | _____ |
| _____ | _____ |
| _____ | _____ |

## Resultados

- Confianza: Seguridad, esperanza, fe, credulidad, decisión, determinación, certidumbre, tranquilidad, creencia, presunción, aliento, ánimo, vigor, empuje.

- Descanso: Reposo, respiro, tregua, pausa, parada, sosiego, quietud.
- Fortaleza: Vigor, energía, fuerza, robustez, vitalidad, dureza, resistencia, ánimo, brío, garra, potencia.
- Amor: Cariño, afecto, apego, ternura, pasión, afición, predilección, querer.[33]

Si entiendes que mereces estos resultados entonces vale el esfuerzo y la determinación de querer ser transformado en tu ser interior. Entiende que es la voluntad de Dios que comiences a vivir una vida en abundancia aquí en la tierra. Encuentra tu espacio en el Reino y descubrirás el misterio de tu existencia.

Complementa este plan de acción con los recursos que encontrarás en www.symbiadiaz.com

33    Consulta en línea. wordreference.com.

# 8

# Acepta tu realidad y perdona

«Los débiles no pueden perdonar. Perdonar es atributo de los fuertes».
Mahatma Gandhi

¿Te has sentido alguna vez condenado por tu pasado? ¿Crees que debido a tus errores y formación no mereces nada bueno, que esto no es para ti?

Has pensado que todo suena muy bonito, pero que, según la psicología es muy difícil que un adulto cambie, porque estudios demuestran que solo puede modificar algunas cosas? Pues te tengo noticias: el anhelo ferviente de Dios es que sus hijos sean transformados por el poder de Su Palabra, con la ayuda del Espíritu Santo. **Lo natural es entendido por lo simple; lo sobrenatural es entendido por su esencia.** En lo natural, sólo puede haber manifestaciones naturales del hombre concebidas por lo que conoce; pero en lo espiritual, sólo puede haber transformación para vida eterna. Es decir, para muchos es locura la forma en que Dios obra porque no proviene de la lógica que el hombre conoce; pero esto no debe ser una limitación para creer que la reconciliación sí existe, a través del perdón.

El primer paso que debes tomar después de reconocer las raíces que no te permiten crecer, es aceptar tu realidad. ¿Qué significa esto? Muy sencillo: si tu pasado, y esto incluye tu formación y origen, fue muy difícil; si sientes que te dejaron caer en tu etapa de crianza y tus acciones hasta el día de hoy han sido dirigidas por lo que aprendiste; acéptalo, perdónate y perdona tu pasado. Hasta que no lo hagas, no vas a liberar la deuda y es muy difícil vivir con esa carga. Piensa en esto: ¿Jesús merecía morir en la cruz por los pecadores, lo cual nos incluye a ti y a mí? En lo natural, no; pero había un plan de redención. El perdón te va a liberar la presión que cargas por dentro y te va acercar al amor.

¿Te ha pasado que te has encontrado orando, una y otra vez, por alguna situación relacionada con alguna persona, después de haber sido lastimado, y parece ser que tu oración no es escuchada?

Permíteme contarte una experiencia personal:

En una ocasión, estaba atravesando un momento muy difícil debido a la actitud inesperada de una persona, ante un desafío en común. Me estaba consumiendo, oraba día y noche, pero pasaba el tiempo y nada ocurría. Una noche, orando y llorando, el Espíritu Santo me dijo: *«Estás orando mal, estás orando desde tu dolor. Ora por la salvación de esa persona».* Y seguido me dijo:

*«Porque nuestra lucha no es contra seres humanos, sino contra poderes, contra autoridades, contra potestades que dominan este mundo de tinieblas, contra fuerzas espirituales malignas en las regiones celestiales. Por lo tanto, pónganse toda la armadura de Dios, para que cuando llegue el día malo puedan resistir hasta el fin con firmeza». (Efesios 6:12-13)*

En ese momento, yo recibí un impacto muy fuerte en mi espíritu y una enseñanza que, hasta el día de hoy, ha sido una herramienta poderosa que me ha ayudado en los diferentes procesos de vida que he enfrentado.

¿Saben cuál fue el resultado cuando yo cambié mi vocabulario en oración hacia esa persona? El milagro de la restauración. Esa persona, en lo natural, no merecía mi perdón; pero yo decidí hacerlo en oración. Entonces, ya no me controlaban los sentimientos de rencor, coraje y frustración y en adelante, el Señor me permitió ver a esa persona como un alma necesitada de salvación y de la gracia de Dios.

Esto no ocurrió de la noche a la mañana. De hecho, al principio fue un poco incómodo; pero la paz y el amor de Dios me cubrieron debido a mi obediencia. Por tres meses seguidos me mantuve orando la Palabra de Dios sobre esa persona (salvación, perdón y revelación del reino de Dios a su vida) y un día el Señor me dijo: *«Siéntate y habla con esa persona»*. Te confieso que no lo hice, pero el Señor siguió adelante y tocó su corazón con la necesidad de hablar conmigo. Fueron dos horas de conversación que jamás voy a olvidar. La presencia de Dios estuvo presente de manera muy especial. Reinaron el perdón, la armonía y la restauración. Nunca volví a ver a esa persona desde el dolor que me causó. Al contrario, le veía a través de los ojos de Jesús; con su amor, misericordia y perdón.

**El objetivo del perdón es lograr la reconciliación con Dios, contigo y con el prójimo.** Si observas, el amor funciona de la misma manera. Proverbios 17:9 enseña lo siguiente:

> *«El que perdona la ofensa cultiva el amor, el que insiste en la ofensa divide a los amigos».*

Para que no haya interferencia en tu oración es necesario que perdones y ores por aquellos que te dañaron. Cuando elevas tu nivel de conciencia a la realidad y a la forma en que Dios hace las cosas, tu oración cambiará.

Perdonar para ser perdonados y manifestar la libertad que viene del Espíritu Santo de Dios, es nuestra decisión. El Señor quiere que seamos imitadores de Él, para que podamos madurar y crecer en el Reino. Jesús es el mejor ejemplo. Vino a este mundo como hombre, pero con naturaleza divina. Vivió muchas cosas propias de los humanos y supo manejar cada una de ellas, para dejarnos el ejemplo a seguir.[34]

**Todo lo que dejas de poner en práctica por encima de tus emociones, en un acto voluntario, se vuelve contra ti.** Es muy difícil descubrir y conocer cada día un poco más de Dios, cuando el corazón está encadenado. Es un mandato perdonar para que Él nos perdone a nosotros. Ni tú ni yo somos tan buenos como para no necesitar ser perdonados. ¡Qué mentira! **Devuelve el favor, imita Su gracia y perdona. Entonces sentirás un alivio en tu espíritu.** Es muy difícil disfrutar de Su presencia cuando no has perdonado. Sé que es un tema difícil de digerir, a mí también me costó lágrimas entenderlo, pero vale el esfuerzo de imitar a Jesús.

Las consecuencias de no perdonar son desastrosas y se manifiestan de diferentes maneras. Algunas personas sufren de enfermedades físicas y emocionales, aun perteneciendo a alguna iglesia. Y aquí está el peligro: no puedes dar lo que no posees. Necesitas estar sano para, con la ayuda de Dios, sanar a otros. Anhela ser un portador del

---

34    Ver Juan 13: 15-17, Juan 14:12.

Reino para el avance de las Buenas Nuevas de salvación. En todo lo que Dios nos pide que hagamos hay recompensa y la mayor de ellas es estar en paz con Él y con los hombres.[35]

## Construye nuevas memorias

Luego de entender la importancia de aceptar tu realidad y dar el paso para perdonar a tus ofensores, estás listo para el próximo nivel. ¿Qué debes hacer? Comenzar a construir nuevas memorias y volver a soñar. Dice el Señor: «*Porque yo sé muy bien los planes que tengo para ustedes —afirma el Señor—, planes de bienestar y no de calamidad, a fin de darles un futuro y una esperanza*». (Jeremías 29:11). Ahora cambia la perspectiva de ti mismo y comienza a buscar cuáles son esos planes de bien.

Por otro lado, necesitas recordar todo lo bueno que ya Dios ha hecho en ti. Anhela, como un niño, la construcción de un nuevo tiempo y extiéndete a lo justo, a lo verdadero. Mereces descubrir la nueva vida que Cristo te ofrece en libertad. Hay conductas del pasado que serán reemplazadas de acuerdo con la transformación de tus pensamientos. Cuando estos son transformados por la Palabra de Dios, comienzas a gozar y disfrutar de Su bien. Esfuérzate y sé valiente en el proceso, porque entonces lo conocerás cada día más.[36] El Señor nos invita a tener total y completa dependencia de Él. Esta se logra a través de la

---

35   Ver Mateo 18: 21-35.

36   Ver Romanos 12:2, NTV; Salmos 43:8.

confianza y la aceptación de la Palabra de Dios.

Volviendo al tema de las memorias, es importante saber que esto sucede en dos vías: La primera, haciendo un esfuerzo consciente por evidenciar cada una de las victorias que has vivido en el pasado. La segunda, visualizando, a corto y largo plazo, el futuro que deseas construir, de acuerdo con la revelación de la voluntad de Dios en tu vida.

Haz memoria de todas las cosas que Dios ha hecho por ti. Te aseguro que son muchas y en distintas áreas de tu vida. La mente es muy propensa a olvidarse de las cosas buenas, pero precisamente son esos recuerdos los que necesitas en tiempos de crisis y cambios, para tener la convicción de que si Dios lo hizo ayer, lo hará hoy también. Por eso, debes hacer un esfuerzo en permitirle al Espíritu Santo que te ayude a elevar tu nivel de conciencia, para que lo que brote de tu mente sea lo bueno.

Hay una estrategia poderosa que puedes practicar y la encontramos en el libro de Josué.

*«Cuando todo el pueblo terminó de cruzar el río Jordán, el Señor le dijo a Josué: "Elijan a un hombre de cada una de las doce tribus de Israel, y ordénenles que tomen doce piedras del cauce, exactamente del lugar donde los sacerdotes permanecieron de pie. Díganles que las coloquen en el lugar donde hoy pasarán la noche".*

*Entonces Josué reunió a los doce hombres que había escogido de las doce tribus, y les dijo: "Vayan al centro del cauce del río, hasta donde está el arca del Señor su Dios, y cada uno cargue al hombro una piedra. Serán doce piedras, una por cada tribu de Israel, y servirán como señal entre ustedes. En el futuro, cuando sus hijos les pregunten: '¿Por qué están estas piedras aquí?', ustedes les responderán: 'El día en que el arca del pacto del Señor cruzó el Jordán, las aguas del río se dividieron frente a ella. Para nosotros los israelitas, estas piedras que están aquí son un recuerdo permanente de aquella gran hazaña'».* (Josué 4:1-7, énfasis añadido)

*«Entonces Josué erigió allí las piedras que habían tomado del cauce del Jordán, y se dirigió a los israelitas: "En el futuro, cuando sus hijos les pregunten: '¿Por qué están estas piedras aquí?', ustedes les responderán: 'Porque el pueblo de Israel cruzó el río Jordán en seco'. El Señor, Dios de ustedes, hizo lo mismo que había hecho con el Mar Rojo cuando lo mantuvo seco hasta que todos nosotros cruzamos. Esto sucedió para que todas las naciones de la tierra supieran que el Señor es poderoso, y para que ustedes aprendieran a temerlo para siempre"».* (Josué 4:20-24, énfasis añadido)

Esta fue una instrucción estratégica que Dios le dio a Josué, para que el pueblo no se olvidara de las maravillas que Él había hecho con ellos. Así de importante es construir memorias. Imagínate lo que estaba atravesando el pueblo de Israel; su fe estaba siendo desafiada. Dios les había dado una instrucción y una promesa, pero la realidad que ellos estaban enfrentando era contraria.

¿Te puedes identificar? Ese es el punto. Estás en el mejor escenario para ver lo imposible ante los hombres; porque lo natural de Dios es sobrenatural para nosotros. Cuando entendemos que vivimos en este mundo pero no pertenecemos aquí, es cuando tenemos que buscar nuestra identidad en Dios.

### Haz ahora un ejercicio de fe:

Toma una libreta y comienza a escribir todas las cosas buenas que te han ocurrido en tu proceso de vida e identifica lo que te ayudó a salir adelante. En mi trayectoria, antes de conocer al Señor, experimenté la bondad y la protección de Dios. Tiempo más tarde, esas experiencias se convirtieron en piedras memoriales que me recuerdan Su fidelidad y amor, desde antes de yo conocerle. Él me conocía y tenía un plan para mi vida y una historia que estaba siendo construida.

Una vez hagas esa lista donde reconoces todas las victorias que Dios te ha dado, escribe al lado el versículo bíblico que te sostuvo en ese proceso. Si creciste lejos de la Palabra de Dios, como lo fue en mi caso, entonces solo medita en todas esas veces que fuiste rescatado, justificado, protegido, aun de la muerte fuera de tiempo. Esa se va a convertir en tu libreta de las memorias.

En el futuro, cuando estés atravesando alguna situación difícil, vas a buscar tu libreta y podrás leer lo que ya Dios hizo en el pasado por ti. Esto te ayudará a mantener tu confianza en el Señor.

Algo que me impactó la primera vez que estudié acerca de la enseñanza sobre las memorias, en el libro de Josué 4, fue la importancia de la bendición generacional. Estamos viviendo tiempos difíciles y tenemos la responsabilidad de transmitirles a las próximas generaciones el legado de Dios, a través de nosotros.

La Palabra en su esencia fue entregada para que trascienda generaciones. Está en el corazón de Dios que vivas apasionado por Su verdad, para dar cumplimiento a todas las cosas. El Señor se mueve por su Palabra, no por la condición humana. Él estableció que al buscar primero Su Reino y permanecer en la verdad, es cuando vas a descubrir la verdadera vida que fue creada en el origen. Cuando te das permiso para entrar en la dimensión del Reino, entenderás que fuiste creado con un propósito, que no se limita al pensamiento humano; más bien trasciende el tiempo y espacio. No es posible conocer a Dios y caminar desconectado de su verdad.

El Padre sabe bien lo que necesitas. La palabra escrita en el corazón transforma tus pensamientos; por eso, cuando continuamente meditas en su verdad, comienzas a caminar en un nuevo nivel de conciencia, donde no eres controlado por las circunstancias. En diferentes procesos difíciles que he atravesado, la oración y la Palabra siempre han sido mi fundamento y los pilares que me han sostenido.

He hecho partícipe a mi hijo de muchos de ellos, algunos económicos, otros familiares y algunos otros, más cotidianos. A medida que Caleb ha ido creciendo, me he acostumbrado a hacerlo parte de mi experiencia de vida y suelo contarle anécdotas en donde Dios ha manifestado Su bien, en diferentes escenarios. El objetivo es que él crezca con la conciencia correcta.

Tendría muchas anécdotas que contar, pero voy a hablarte de tres de ellas, que demuestran el poder de la oración y la importancia de transmitir la fe a nuestras generaciones, de forma sencilla y real. Quizás estas situaciones para un adulto no representan mucho, pero en un niño representan un sello de fe en su corazón.

La primera de ellas ocurrió cuando mi hijo se iba a graduar de primer grado. Los padres estábamos encargados de organizar la actividad familiar con la que celebraríamos la graduación, fuera de la escuela, luego de finalizar el año escolar. En ese entonces, yo era la presidenta del comité de padres que, durante todo el curso, estuvimos realizando actividades para recaudar fondos para el evento y confraternizar. En adición, se asignó una cuota por familia para completar el dinero para la fiesta. La excursión se iba a realizar en un parque acuático, muy divertido y hermoso.

Luego de un año de mucho sacrificio, llegó el día esperado; pero hubo un detalle que ponía en riesgo todo lo planeado: el clima. Un grupo de nubes negras amenazaban con dañar la actividad que por meses habíamos planificado, con la consecuente desilusión de los niños y pérdida del dinero. Sin embargo, cuando mi hijo y yo íbamos de camino al lugar, mirando al cielo negro decidimos orar. Y así lo hicimos; ambos declaramos la Palabra en fe. El tiempo se arregló y Dios nos regaló un día hermoso de verano. Había alrededor de 200 personas y antes de comenzar el pasadía tuve el honor y la oportunidad de dirigir a las familias en oración. Le dimos la gloria a Dios y todo quedó precioso.

Otra de esas anécdotas sencillas, en las que, junto con mi hijo, vimos la bondad de Dios, ocurrió cuando él me pidió un regalo, en medio de un tiempo económico difícil:

A Caleb le fascinaba una serie de caricaturas, donde los protagonistas eran trenes y los veía una y otra vez. En algunos episodios incorporaban nuevos personajes, con características particulares y colores llamativos, que capturaban su atención. Un día, después de ver un capítulo de su serie, tuvimos una conversación como esta:

—Mamá, quiero ese tren nuevo.

—Caleb, nada más tengo este presupuesto; pero vamos a la tienda y si lo puedes comprar con este dinero, perfecto.

—Mamá, ese presupuesto no va a dar, porque el tren cuesta más dinero.

No sé cómo lo supo, pero la realidad era que el tren que él quería costaba dos veces más. Así que le dije:

—¿Sabes qué? Estamos en tiempos de ahorrar, pero ora a Dios.

¿Algún padre o madre se puede identificar?

Cuando llegamos a la tienda, él fue directo al área de los trenes y encontró uno que se ajustaba exactamente al presupuesto que yo le había dado. La carita de mi hijo y su gesto fue hermoso. En ese momento, ambos le dimos la Gloria a Dios.

En otra ocasión, yo manejaba mi auto junto a mi hijo, luego de recogerlo en la escuela. Como de costumbre, el tráfico estaba pesado y yo me encontraba en una batalla de pensamientos y luchas internas, dado al proceso que estaba atravesando de separación y divorcio. Aunque siempre traté de mostrarle a mi hijo mi mejor sonrisa, para no causarle ansiedad; en esa ocasión no era así.

Yo iba muy callada cuando, de repente, Caleb comienza a cantar el Salmos 23, una y otra vez. Comencé a llorar porque fue un momento muy especial que bendijo mi corazón y donde pude ver el fruto de la semilla que todas las noches yo le sembraba, aun en medio de mi dolor. Esto fortaleció mi fe y me enseñó que la Palabra es viva y cumple su propósito.

Como estos, podría contar muchos ejemplos más; pero algo que he podido ver en mi hijo es que, cuando hay situaciones difíciles, siempre me dice: «*Mamá, ora*». Al momento de escribir este libro, mi hijo Caleb tiene once años y todos estos testimonios ocurrieron desde muy pequeño. Puedo ver el respeto y el temor a Dios que está siendo construido en su interior y está siendo grabado en su corazón.

Como madre, creo firmemente que a los hijos no hay que ocultarles la realidad que estemos enfrentando y esconderlos en una burbuja. Al contrario, creo que explicándoles las situaciones con prudencia y sabiduría, es el escenario perfecto para instruirlos en la Palabra de Dios y la oración, claro, al nivel de su edad. Así ellos irán construyendo memorias sanas sobre la forma en que se resuelven las crisis, con plena confianza en Dios.

# En resumen

El perdón te acerca al amor y te reconcilia con tu Padre celestial, contigo y con el prójimo. Cuando aceptas el perdón, recibes la libertad y tienes la oportunidad de construir nuevas memorias, basadas en la confianza en Dios y en la transformación de tu mente.

Tus decisiones van a tener un impacto generacional. Has sido llamado a instruir a tus hijos en la verdad, por encima de tus circunstancias, porque en su tiempo verás en ellos el fruto de la Palabra.

Recuerda los beneficios de construir las memorias correctas:

1. Te producirán confianza en Dios y su Palabra.

2. Causarás un impacto en las próximas generaciones para que no se olviden de Dios.

3. Reflejarás la imagen correcta de la esencia de Dios en ti.

*Señor Jesús, hoy decido perdonar a _____.*
*Ayúdame a ver a esa persona a través de tus ojos, con amor y misericordia. Transforma mi corazón. Ayúdame a traer a memoria todo lo que has hecho por mí para nunca olvidarme. Quiero ser un instrumento de paz y amor. Perdóname por quejarme y ayúdame a ser una persona que inspire el bien en amor a mi prójimo. Gracias, Señor.*

# Plan de Acción

Construye nuevos puentes que te den acceso al camino con libertad. Te recomiendo que comiences a leer el libro de Proverbios, ya que es un libro que encierra mucha sabiduría y tiene muchos consejos que te van a ayudar en el proceso.

¿Cuáles son esas memorias que te causan dolor, ya sea por personas que te hirieron, o a las que tú heriste?

_____

_____

_____

¿Perdonaste?  Sí _____  No _____

¿Pediste perdón?  Sí _____  No _____

¿Experimentaste la reconciliación? Sí _____  No _____

¿Qué te está limitando en el proceso del perdón?

_____

_____

_____

Escribe 3 acciones que puedes realizar para construir el puente del perdón.

1. _____

_____

_____

2. _____

_____

_____

3. _____

_____

_____

Complementa este plan de acción con los recursos que encontrarás en
www.symbiadiaz.com

# ¿Dónde está tu corazón?

«Por sobre todas las cosas
cuida tu corazón, porque
de él mana la vida».
(Proverbios 4:23)

A través de la historia, el corazón, en su aspecto más romántico, ha sido interpretado como el lugar donde habita el amor. Muchas historias bonitas y otras trágicas, se han escrito, cantado, interpretado y expresado de forma artística acerca del corazón. A nivel físico, cobra relevancia por su importancia en el cuerpo humano y además, porque es evidente el incremento en las enfermedades relacionadas con este órgano. En fin, podríamos dedicar horas para hablar de ello, porque es un tema muy popular en nuestra sociedad. Y la Biblia no es ajena a eso.

Por eso, en este capítulo quiero hablarte acerca de la importancia de identificar las señales que constantemente nos envía el corazón, de las que debes estar atento en todo tiempo.

Quizás te estás preguntando: ¿De qué señales hablas? ¿Cómo las identifico? Hay una clave: todo comienza con el pensamiento. Haz un análisis de aquello que constantemente viene a tu mente y te seduce. Seducir tiene que ver con lo que te atrae y que probablemente te esté dirigiendo. Cuando haces un inventario de tus pensamientos, de forma honesta contigo mismo, encontrarás que necesitas deshacerte de aquellos que te llevan en dirección contraria a la voluntad de Dios, aunque muchos de ellos parecen ser buenos.

**Lo que no es cultivado en amor se vuelve contra ti.** La construcción de tu vida debe ser un proceso consciente y continuo hasta que sean completadas todas las cosas. Si tu corazón se encuentra fuera de la cobertura y el principio, tu vida puede estar en peligro.

Veamos un ejemplo de algunos de esos pensamientos que, tal vez, siempre están presentes. Por ejemplo: *«Necesito ganar más dinero».* Pensamiento seguido: *«Quiero comprarme una mejor casa, un nuevo auto, viajar, ropa nueva, quiero dinero para salir y gastar sin preocupaciones».* Si ese es el caso, entonces tu *«paz»* puede que esté fundamentada en el dinero y las cosas materiales.

Con esto no quiero decir que planificar y aspirar a lo mejor para nuestra familia sea malo; al contrario. El detalle está cuando tu prioridad es el dinero y lo que realmente tiene valor en la vida pasa a un segundo plano.

¿Cómo puedo decir eso? Muy sencillo; vamos a ver dos versículos que nos darán la respuesta.

*«No acumulen para sí tesoros en la tierra, donde la polilla y el óxido destruyen, y donde los ladrones se meten a robar. Más bien, acumulen para sí tesoros en el cielo, donde ni la polilla ni el óxido carcomen, ni los ladrones se meten a robar. Porque donde esté tu tesoro, allí estará también tu corazón». (Mateo 6:19-21, énfasis añadido)*

*«Nadie puede servir a dos señores, pues menospreciará a uno y amará al otro, o querrá mucho a uno y despreciará al otro. No se puede servir a la vez a Dios y a las riquezas. Por eso les digo: No se preocupen por su vida, qué comerán o beberán; ni por su cuerpo, cómo se vestirán. ¿No tiene la vida más valor que la comida, y el cuerpo más que la ropa?». (Mateo 6:24-25, énfasis añadido)*[37]

El Señor nos está dando la clave para que escojamos vivir una vida con las prioridades correctas; porque cuando las alteramos, es cuando comenzamos a vivir con la visión nublada.

Quiero hacer énfasis en esto, porque puede que al principio no te des cuenta, pero poco a poco empiezas a ir por el camino incorrecto y a desviarte según la dirección de tu corazón. Si tu pensamiento constante es acerca del dinero y las posesiones materiales, y la Palabra de Dios se convierte en un amuleto de la suerte, llegará el día en donde ella misma te confrontará. Por un tiempo puede que funcione el esfuerzo humano, pero terminarás rendido, con cansancio emocional y sin la capacidad de disfrutar del fruto de tu trabajo.

Desde el principio, Dios creó al hombre para administrar los recursos que ya Él había creado, y le dio la orden de multiplicarse. ¡Qué gran responsabilidad! Esto me lleva a preguntarme que si Su voluntad es que administremos y nos multipliquemos, ¿por qué muchas veces vamos por la vida buscando lo que Dios ya nos dio? Perdemos mucho

---

37    Ver además Mateo 6:27, 33-34.

tiempo distraídos, tratando de figurar, luchar y manipular nuestra propia vida, desenfocados del entendimiento del propósito por el que fuimos creados.

Si cada persona entendiera que es portador de un don especial y único que lo caracteriza, dentro del cuerpo de Cristo, entonces las comparaciones dejarían de existir y se recuperaría el enfoque correcto.

Cuando eres atrapado en el sistema de este mundo, tu corazón se llena de amargura porque crees que haces lo correcto, pero no obtienes los resultados esperados. Y con esto me refiero a la satisfacción que produce el hacer la voluntad de Dios, siendo guiados por Su Espíritu. Es estar en paz con Dios y los hombres, aun cuando tengas enemigos. Puede que tu resultado sea dinero o mucho trabajo para pagar el costo de tu estilo de vida, pero sabes en tu interior que no eres feliz. Cuando haces un alto en tu ocupado caminar y examinas tu vida, no para juzgarte; sino más bien para alinearte con Dios, es cuando encuentras satisfacción y plenitud en tu ser interior.

Una vida alineada al Espíritu produce en ti paz, gozo, amor. Son virtudes que encontrarás cuando tu visión se enfoca en buscar conocer más a Dios, para poder conocerte a ti. Ahí ocurre lo que yo llamo la fecundación entre lo natural y lo espiritual. Descubres que, aunque lleguen problemas y situaciones difíciles, puedes guardar la paz. Puedes confiar que aun si sientes que te falta sabiduría para manejar las presiones de la vida, en tu lugar secreto con Dios, Él te dará la respuesta. Es la confianza que produce el entender que no eres un accidente; eres creación de Dios.

*«Alabado sea Dios, Padre de nuestro Señor Jesucristo, que nos ha bendecido en las regiones celestiales con toda bendición espiritual en Cristo. Dios nos escogió en él antes de la creación del mundo, para que seamos santos y sin mancha delante de él. En amor nos predestinó para ser adoptados como hijos suyos por medio de Jesucristo, según el buen propósito de su voluntad, para alabanza de su gloriosa gracia, que nos concedió en su Amado. En él tenemos la redención mediante su sangre, el perdón de nuestros pecados, conforme a las riquezas de la gracia que Dios nos dio en abundancia con toda sabiduría y entendimiento. Él nos hizo conocer el misterio de su voluntad conforme al buen propósito que de antemano estableció en Cristo, para llevarlo a cabo cuando se cumpliera el tiempo, esto es, reunir en él todas las cosas, tanto las del cielo como las de la tierra». (Efesios 1:3-10, énfasis añadido)*

En el libro de Efesios puedes encontrar la revelación de tu identidad como hijo de Dios. Cuando estableces el orden correcto en tu vida, entendiendo quién eres, estás dando apertura a que el cielo se fusione en tu ser interior. Descubres que lo que antes parecía imposible siempre estuvo presente para ti. No es imposible vivir en paz; no es imposible amar con amor puro y sincero, aun a nuestros enemigos; no es imposible vivir el presente. Solo hace falta que te des cuenta de que esa es tu naturaleza, la naturaleza del Reino. En otro tiempo vivías sin fe y esperanza, pero ahora tienes el privilegio y acceso como hijo de Dios.

Con Su sacrificio, Cristo, que lo dio todo por ti y por mí, dejó su ejemplo y su vida para que, a través del Espíritu Santo, tengas una nueva oportunidad de vivir. Tu vida es importante y tiene un efecto incalculable en otras personas. Eres fuente de inspiración, no de perfección. Permite que tu naturaleza humana cobre vida en Él. Nuevamente quiero recalcar en la necesidad de crear el hábito de tomar tiempo, diariamente, para orar y meditar en la Palabra de Dios. Revisa lo que hay en tu corazón, y lo que eso está produciendo en ti. **Esfuérzate, consciente y voluntariamente, en cuidar tu corazón.** Cultivar tu vida de oración, con el propósito de mantenerte conectado a Dios como único objetivo, te llevará a descubrir grandes cosas que en el mundo espiritual permanecen ocultas.

> *«Ya que han resucitado con Cristo, busquen las cosas de arriba, donde está Cristo sentado a la derecha de Dios. Concentren su atención en las cosas de arriba, no en las de la tierra, pues ustedes han muerto y su vida está escondida con Cristo en Dios».*
> *(Colosenses 3: 1-3; ver también 4-17)*

El Señor te ha dejado la clave para guardar tu corazón en Su Palabra y cuando inviertes en Él, ganas aquello que ni el dinero ni el mundo te pueden dar. Pero, cuando ocurre lo contrario y das de ti para lo que no produce buen fruto, entonces vienen los procesos de ansiedad y desesperación. **La paz debe gobernar tu corazón y la Palabra de Dios debe habitar en ti.**

Para cada pensamiento hay una respuesta escondida en su Palabra. Pero no significa que esté escondida porque Dios no quiere que la encuentres; al contrario, Él desea que lo anheles y sobre todo valores el tesoro que ya te dio. Él desea que te reproduzcas en otros y dejes un legado. Esto es madurez espiritual y conquista en el Reino.

Piensa: ¿qué quieres conquistar para tu vida?, ¿cosas materiales o la manifestación del Reino de Dios en tu vida? La Palabra enseña: *«Busquen el reino de Dios por encima de todo lo demás y lleven una vida justa, y él les dará todo lo que necesiten».* (Mateo 6:33, NTV)

## ¿A qué le das valor?

*«De hecho, no hago el bien que quiero,
sino el mal que no quiero. Y, si hago lo
que no quiero, ya no soy yo quien lo hace,
sino el pecado que habita en mí.*

*Así que descubro esta ley: que, cuando quiero
hacer el bien, me acompaña el mal. Porque en
lo íntimo de mi ser me deleito en la ley de Dios;
pero me doy cuenta de que en los miembros de
mi cuerpo hay otra ley, que es la ley del pecado.
Esta ley lucha contra la ley de mi mente, y me
tiene cautivo. ¡Soy un pobre miserable! ¿Quién
me librará de este cuerpo mortal? ¡Gracias a
Dios por medio de Jesucristo nuestro Señor!*

*En conclusión, con la mente yo mismo
me someto a la ley de Dios, pero mi*

*naturaleza pecaminosa está sujeta a la
ley del pecado». (Romanos 7:19-25)*

En Romanos 7:19-25, vemos el conflicto entre la ley de Dios y la ley del hombre. En medio de ese proceso, el Apóstol Pablo entendió su naturaleza humana y el valor de sujetar su mente a la verdad.

Esta es una gran revelación para todos nosotros: según sean tus pensamientos, así te dirigirás en la vida. Tus pensamientos son el timón que dirige tu barco, pero necesita de un buen capitán que establezca el camino. Si no existe control y dirección concreta, el timón puede llevar al barco a la deriva, sin rumbo. Así va el ser humano muchas veces por la vida, navegando sin conocer el mapa.

Este principio te enseña que el orden correcto es buscar primero el Reino de Dios. Y tal vez te preguntas ¿para qué?, y es válido preguntarlo, porque sé que esto conlleva tiempo y espacio; y es probable que eso sea precisamente lo que no tienes. Pero aquí es donde se encuentra el secreto: Si tú estableces como prioridad conocer a tu Creador y Sus principios, te vas a conectar a la fuente de vida y conocerás tu propósito. Pero si caminas indiferente, inconscientemente estás dando prioridad a todas las cosas; pero ninguna de ellas te dirigen a tu esencia.

He aprendido que, en muchas ocasiones, vamos en busca de la voluntad de Dios, pero no nos damos cuenta de que esta siempre ha estado presente, lista para ser revelada a nosotros. La pregunta es: ¿por qué tardamos en descubrir nuestro propósito? La respuesta es sencilla: porque siempre terminamos haciendo lo que nos desconecta de él. Cuando estamos a punto de avanzar en el proceso de conectarnos, ocurre algo que nos distrae en el camino y nos detiene por un tiempo. Es por eso, por lo que es de suma importancia llevar una vida sujeta al Espíritu Santo, porque Él nos enseña y nos guía en el proceso de transformación.

Piensa en esto: ¿te has encontrado alguna vez haciendo cosas que sabes que no debes hacer?

No estás solo, yo también he estado en ese lugar. En una ocasión me encontraba en esa disyuntiva, pero recuerdo la voz del Espíritu diciéndome: **«Sujeta tu voluntad, tus planes y tus compromisos a mi voluntad».** Esos momentos son cruciales porque puede haber un conflicto entre la voz del Espíritu alineada a Dios y tus propios intereses. Pero, por mi propia experiencia, te puedo decir que rendir tus planes, tu voluntad y eso que según tu lógica debes hacer, a los pies del Maestro, va a producir en ti paz, aunque al principio no entiendas. Poco a poco irás viendo el camino con claridad. Y entonces, lo importante cobra vida.

*«Porque donde esté tu tesoro, allí estará*
*también tu corazón». (Mateo 6:21)*

No resistas la voluntad de Dios porque lo que tú valoras se convierte en tu guía, para bien o para mal. Puedes simpatizar con el concepto de Dios, pero no vivir en Su realidad. Hoy miro hacia atrás y puedo decir que las adversidades han sido la plataforma para desarrollar el músculo espiritual; es decir, el ser interior que necesita ser cultivado y alimentado para crecer.

En una ocasión, una persona me hizo el siguiente comentario: *«Yo no soy nada porque no estudié. Me tengo que conformar con cualquier cosa».* Cuando escuché esas palabras quedé impactada y mi respuesta inmediata fue: **«*Tú vales mucho, ni los estudios ni el trabajo determinan tu valor*».**

Vivimos en una sociedad donde se mide a las personas por lo material y se piensa que su valor proviene del éxito y todo lo que produce el dinero. Por eso vemos personas exitosas, según el estigma de la sociedad, pero sus vidas son oscuras. Personas que desconocen su propósito y que aunque tienen mucho dinero, no logran disfrutar la plenitud que viene del fruto del Espíritu Santo. La razón es sencilla: alimentan y valoran las cosas incorrectas.

Es muy fácil caer en la trampa de la fama y el dinero porque alimenta el ego. La fama es mucho más que ser un actor de televisión o locutor de radio; tiene que ver con la actitud que adoptas en tu círculo social. Piensas que tienes que ser mejor que tus vecinos; por lo tanto, te esfuerzas en tener la mejor casa, el mejor automóvil, aunque sacrifiques lo que más amas en tu vida. Sin darte cuenta, poco a poco, tu mirada y enfoque van en caminos opuestos. Tu corazón se aleja de lo que verdaderamente tiene valor en la vida. **No alientes lo que en un tiempo no lejano producirá amargura en tu ser interior.**

Siempre hay señales en el camino que son como luces rojas que indican que debes hacer una parada y reflexionar en la velocidad de la vida que llevas. Analiza: ¿Cómo está tu familia? ¿Cómo está tu salud? ¿Cómo están tus emociones? ¿Disfrutas de la vida y eres feliz? ¿Llevas una vida balanceada o en algunas áreas no lo estás? ¿Sientes que tu ser interior gime por experimentar descanso y reposo pleno? ¿Te has encontrado sin saber cómo hacer un alto y cambiar el rumbo de tu vida?

La buena noticia es que nunca es tarde para comenzar de nuevo. Solo hace falta tu decisión e intención, para que el Espíritu Santo transforme tu vida. Aunque parezca muy lejano e inalcanzable vivir sanamente, no es imposible. Es tu naturaleza y tu esencia en Cristo. **Eleva tu conciencia. No estás solo. Hay más por vivir y descubrir.**

Además recuerda que no se trata solo de ti; se trata del cuerpo de Cristo. Es necesario que te conectes para manifestar el don que se te dio para edificación de otros.

## Valora quien eres, valora la vida.
## Eres un milagro.

En estos tiempos valorar a las personas es extraño. Suena duro, ¿verdad? Pero es cierto y se puede ver más marcado en unas culturas que en otras, en donde cada cual vive su vida, lo cual, en parte, está bien. El problema está cuando sabemos que podemos ayudar a otros y simplemente decimos: «ese no es mi problema». La pregunta es: entonces, ¿quién lo va a hacer?

*«Así que comete pecado todo el que sabe hacer el bien y no lo hace». (Santiago 4:17).*

A medida que disfrutamos de quiénes somos, con defectos y virtudes, podemos valorar a las personas. Esto es un principio básico que muchas veces se hace difícil de cumplir. Somos seres humanos, nos necesitamos los unos a los otros y es hermoso cuando podemos admirar y ver lo bueno en las personas. Aun en los tiempos difíciles podemos ser aliento sin ser jueces.

Para llegar al nivel de valorar a las personas, incluso a tus enemigos, y tener la misericordia para ayudarles y orar por ellos, es necesario que primero medites en tu sistema de creencias. ¿Cuál es tu diálogo interno? ¿Peleas constantemente contigo mismo? ¿Piensas que no tienes valor y otros son mejores que tú? Entonces debes comenzar por restablecer y enfocar tu valor interno. **Es muy difícil que puedas valorar a otros cuando no te valoras a tí mismo, no disfrutas de quien eres y tu esencia no ha sido activada apropiadamente.**

## En resumen

En tu corazón habita el poder de tus decisiones y la voluntad de seguir el propósito de Dios. Cuídalo como un terreno fértil que está siendo labrado por las manos del Maestro. Aliméntalo y protégelo como un tesoro que solo le pertenece al Señor.

## Oración

*Señor Jesús, te entrego mi corazón.*
*Transfórmalo de acuerdo con tu Palabra. Quiero*
*que seas la prioridad en mi vida, reconozco*
*que te necesito y que solo no puedo lograrlo.*
*Gracias por amarme y por tener cuidado de mí.*

*Plan de Acción*

Cultiva tus pensamientos

¿Cuáles son esos pensamientos continuos que no te producen crecimiento en la vida?

_____

_____

_____

¿Qué pasaría si te dieras el permiso y la oportunidad de aprender a través de TUS «errores»? ¿Cómo pintaría tu vida hoy?

_____

_____

_____

¿Estás listo para...?

La incomodidad   Si _____ No _____ Fecha _____

La incertidumbre   Si _____ No _____ Fecha _____

La vulnerabilidad   Si _____ No _____ Fecha _____

¿Cuál es tu fuente o grupo de apoyo en el proceso?

_____

_____

_____

**Consejos:**

1. Abraza el aprendizaje y renuncia a la perfección.

2. Cada lección de vida requiere un plan de acción. No lo dejes perder.

3. Hoy es el día para un nuevo comienzo. Estructura tus pensamientos y hazlos tus aliados.

4. Cuando no sepas cómo hacer algo en particular, solo confiesa: «todavía no sé, pero pronto lo aprenderé».

5. Desarrolla la actitud de aprender como un niño y celebra la vida.

# 10

# No estás solo en esto

«Juan bautizó con agua, pero dentro de pocos días ustedes serán bautizados con el Espíritu Santo».
(Hechos 1:5)

L a promesa del Espíritu Santo es un don de Dios otorgado a sus hijos con el propósito de conocerle más a Él, para preservarlos hasta la redención. ¿Te parece maravilloso? En mi opinión creo que es un regalo de mucho valor. Cuando analizamos y estudiamos la Palabra de Dios podemos encontrar detalladamente el propósito y la función del Espíritu Santo.

Vamos a analizar algunos principios que debemos utilizar como filtro para autoevaluarnos:

La esencia del Espíritu está diseñada para producir vida y paz.

> *«La mentalidad pecaminosa es muerte,*
> *mientras que la mentalidad que proviene*
> *del Espíritu es vida y paz». (Romanos 8:6)*

Cuando recibí la revelación de este principio, mi vida tomó otro giro. Si bien es cierto que cuando aceptamos al Señor Jesús en nuestros corazones comenzamos una nueva y hermosa vida; también lo es, que en ese momento comenzamos un proceso de transformación en nuestro pensamiento. A medida que vamos soltando el control y le vamos permitiendo al Señor que sea Él quien tome el timón, nuestra carga se hace liviana.

Otro principio que inmediatamente saltó en mi interior es que Dios siempre va a producir paz en nuestro ser.[38]

Esto me ayudó en distintos procesos que he atravesado, a responder las preguntas recurrentes que me hacía: ¿Por qué estoy sumergida en la tristeza por lo que pudo ser y no fue? ¿Por qué aún estoy esperando la promesa y no se manifiesta? La Palabra me hizo entender que el problema se encontraba en la manera en la que yo aceptaba el engaño del mal, que en muchas ocasiones producía en mi mente una lucha intensa entre la fe y el control humano. La estrategia del mal es dividir tu pensamiento para que no descanses en Su presencia y no puedas disfrutar del fruto que produce el Espíritu Santo.

Ahora cuando veo que alguna situación me quiere producir ansiedad, preocupación o tristeza, la identifico rápido y la entrego en oración al Señor, pidiéndole a su Santo Espíritu que me ayude a permanecer en paz en Su verdad. El sistema de este mundo resuelve los problemas en un estilo escapista, donde el ser humano siente alivio momentáneo y seguridad, pero cuando despierta de esa realidad su caos es mayor.

Existen condiciones muy puntuales en las que las personas necesitan medicarse para estabilizar un desequilibrio químico en su cuerpo. Sin embargo, cada vez es mayor el desbalance en personas que han creado el hábito de la auto medicación, haciendo de la dependencia a los

---

38    Ver Juan 10:10.

medicamentos el alivio al dolor que cargan en su interior. Si ese es tu caso, quiero decirte que no estas solo. Existe la vida en plenitud manifestada a través de su Espíritu Santo.

Lo triste es que cada vez es más frecuente escuchar acerca de creyentes dependientes de narcóticos y remedios temporales, a los que han convertido en sus dioses sin darse cuenta de que han creado ídolos a los que adoran. Cuando el tema central de tu conversación es tu dolencia o tus problemas, a quien estás exaltando es al mal. Recuerda que su interés es producir dolor y muerte. En tu boca se encuentra el poder de dar vida y muerte. Es tu deber cuidar lo que sale de tu boca porque, sin notarlo, estás creando tu medio ambiente.

Nadie en esta tierra puede darte lo que el Señor Jesús ya te dio, a través de Su sacrificio. Y sabiendo que los tiempos serían difíciles, les dijo a sus discípulos que convenía que Él se fuera, porque enviaría al Consolador.[39]

Piensa qué cosas necesitas soltar en las manos del Maestro y qué cambios necesitas realizar para entrar en armonía con la esencia del Espíritu Santo en tu vida. **No existe una herramienta más poderosa para avivar el fuego del Espíritu como lo es la oración.** El modelo de oración que nos dejó Jesús es claro:

*«Padre nuestro en los cielos!,*
*Sea tu nombre mantenido santo.*
*Venga tu reino y sea hecha tu voluntad,*
*en la tierra como en el cielo.*
*Danos el alimento que necesitamos hoy.*
*Perdónanos lo que hemos hecho mal, así*

---

39    Ver Romanos 8:11.

*como nosotros hemos perdonado a aquellos*
*que nos han hecho mal. Y no nos dejes ser*
*sometidos a prueba, sino mantennos a*
*salvo del Malvado. Porque el reino, el poder*
*y la gloria son tuyas para siempre. Amén».*
*(Mateo 6:9-13, Nuevo Testamento Judío)*

En mi caso, aprendí que en muchas ocasiones, cuando iba al lugar secreto, mi oración más bien parecía una queja constante con el listado de todos mis problemas; hasta que el Espíritu Santo se me reveló y me mostró que mi oración estaba errada. La Palabra que depositó en mí fue: «*(...) No será por la fuerza ni por ningún poder, sino por mi Espíritu —dice el Señor Todopoderoso—».* (Zacarías 4:6).

**Él me hizo entender y yo me dejé enseñar.** Aunque estaba equivocada en la forma en que oraba, la disciplina diaria de comunión y lectura de la Palabra fue la clave para que mi entendimiento se abriera, pudiera pedir perdón y cambiara mi oración.

Puedo decirte que cuando eso sucedió, yo estaba atravesando una situación muy complicada que implicaba a la justicia terrenal. Para mi sorpresa, tres meses después de interceder en humildad, con la ayuda del Espíritu Santo, recibí el milagro por el que estaba pidiendo. Realmente parecía imposible, pero entendí que cuando asumimos la postura correcta en el lugar secreto y somos sensibles a la voz del Espíritu Santo, entonces comenzamos a caminar guiados por Él y recibir respuestas a oraciones eficaces.

# El poder del arrepentimiento

En el principio el Señor creó de la tierra al ser humano, conforme a su imagen, y sopló aliento de vida en él. Cuando el hombre desobedece, entra la muerte. Luego vemos, a través de la historia, que hubo tres ingredientes principales que han llevado a muchos hombres y mujeres a permanecer firmes en lo que han creído. Estos son: la oración, la adoración exclusiva a Dios y la obediencia. Muchos cometieron errores, pero entendieron que separados de Él no eran nada y sabían que el camino era el del arrepentimiento.

El arrepentimiento te hace humilde en medio de una sociedad influenciada por el humanismo, que cree que puede luchar y lograr todo lo que se proponga sin la ayuda de Dios. Ese es el espíritu del anticristo que opera para separar al ser humano de la dependencia de Dios. Ciertamente por un tiempo te puede ayudar tu esfuerzo independiente; pero te aseguro que a un precio muy alto. La independencia poco a poco va a ir matando la semilla de la Palabra de Dios en ti. Entonces puede que crezcas en diferentes áreas como el trabajo, familia o amigos, pero en tu interior estarás cada vez más solo y ya no disfrutarás de lo que realmente tiene valor. El vacío es sencillo. Nada puede sustituir el lugar del Señor a través del Espíritu Santo.

*«Yo te aseguro que quien no nazca*
*de agua y del Espíritu no puede entrar*
*en el reino de Dios —respondió Jesús—». (Juan 3:5)*

La pregunta que nos debemos hacer es: ¿por qué agua y Espíritu? Aquí la respuesta:

> *«En el principio creó Dios los cielos*
> *y la tierra, y la tierra estaba desordenada*
> *y vacía, y las tinieblas estaban sobre la faz*
> *del abismo, y el espíritu de Dios se movía*
> *sobre la faz de las aguas, y dijo Dios: Sea*
> *la luz; y fue la luz». (Génesis 1:1-3)*

Claramente vemos un matrimonio perfecto entre el agua y el Espíritu de Dios, seguido al decreto de Dios: *«Sea la luz»*. Es en el lugar secreto, entre su Espíritu y la Palabra de Dios, donde le estamos dando apertura al mundo espiritual para que gobierne y se manifieste a favor nuestro. Fuera de esa cobertura entras en terrenos peligrosos de desorden.

La Biblia es clara cuando dice que de una misma fuente no pueden brotar agua limpia y sucia. Permanecemos conectados al agua limpia cuando anhelamos su presencia en humildad, sabiendo que necesitamos cada vez más de Él; porque separados de Él nada podemos hacer. Fuimos creados de la tierra; solo su aliento de vida llenó todos los espacios vacíos. Por eso es de suma importancia cultivar intencionalmente la relación con el Espíritu Santo.

El Espíritu nos dirige en este mundo que está lleno de tinieblas. En medio del caos podemos vivir en fe y esperanza, porque es el Espíritu quien produce paz y vida en nuestro ser interior. A veces tratamos de explicarlo, pero no encontramos las palabras, porque simplemente hay que vivirlo, es don de Dios.

En un mundo donde el significado de vida y paz está condicionado a las posesiones materiales, a muchos les es imposible entender lo que proviene solo del Espíritu Santo de Dios. Ese es el espíritu engañador que busca llenar vacíos a través del encantamiento de este mundo. El Señor nos ha dado un mandato de discernir lo que viene a nosotros y la única forma de lograrlo es conociendo a Su Espíritu.

*«Así que les digo: Vivan por el Espíritu,*
*y no seguirán los deseos de la naturaleza*
*pecaminosa». (Gálatas 5:16)*

No puede haber mezcla; es decir, caminamos por el Espíritu de Dios o caminamos bajo el espíritu de engaño. Quizás te estás preguntando: ¿Cómo sé si estoy caminando por el Espíritu Santo de Dios? Lee los dos próximos versículos, medita, autoanalízate y evalúa si tu vida está produciendo frutos.

*«En cambio, el fruto del Espíritu es amor,*
*alegría, paz, paciencia, amabilidad, bondad,*
*fidelidad, humildad y dominio propio. No hay ley*
*que condene estas cosas». (Gálatas 5:22-23)*

*«El que no ama, no ha conocido a Dios,*
*porque Dios es amor». (1 Juan 4:8)*

Si aún en tu vida hay áreas de oscuridad y sin fruto, estás en el momento perfecto para pedirle al Padre que sane y restaure lo que necesita ser transformado. Identifica qué estás produciendo en tu ser interior. Tu actitud va a determinar tu milagro. Dios te ama y te anhela fervientemente porque le perteneces. Acércate tal como estás y reconoce tu pecado, porque un corazón quebrantado jamás será rechazado por el Señor. Que el orgullo religioso no te ciegue de manera que tu percepción espiritual esté nublada y errada.

## La Palabra y su fruto

Hubo una etapa en mi vida en la que fui confrontada por la parábola del sembrador. Al principio me causó muchas emociones; desde falta de aceptación de la realidad que estaba viviendo, negación y pensamientos de religiosidad, hasta finalmente llegar a la etapa de aceptación y quebranto. Ese fue el punto más maravilloso que pude haber vivido, porque me di cuenta de que tenía mucha palabra y buena vestimenta con apariencia de piedad, pero por dentro estaba herida.

La voluntad del Señor es que seas sano y des fruto. Es por eso por lo que tiene que existir una relación entre la Palabra de Dios, la revelación del Espíritu Santo y tú, en tu tiempo individual a solas con Él. Digo individual porque, aunque somos seres gregarios y necesitamos estar junto al cuerpo de Cristo, también es cierto que no puedes dar de lo que no has cultivado en oración en el lugar secreto.

*«Escuchen lo que significa la parábola del sembrador. Cuando alguien oye la palabra acerca del reino y no la entiende, viene el maligno y arrebata lo que se sembró en su corazón. Esta es la semilla sembrada junto al camino. El que*

*recibió la semilla que cayó en terreno pedregoso es el que oye la palabra e inmediatamente la recibe con alegría; pero, como no tiene raíz, dura poco tiempo. Cuando surgen problemas o persecución a causa de la palabra, en seguida se aparta de ella. El que recibió la semilla que cayó entre espinos es el que oye la palabra, pero las preocupaciones de esta vida y el engaño de las riquezas la ahogan, de modo que esta no llega a dar fruto. Pero el que recibió la semilla que cayó en buen terreno es el que oye la palabra y la entiende. Este sí produce una cosecha al treinta, al sesenta y hasta al ciento por uno». (Mateo 13:18-23)*

Oye la Palabra>> No la entiende
= pierde la semilla

Oye la Palabra>> No tiene raíz
= la semilla dura poco tiempo

Oye la Palabra>> Las preocupaciones y engaño de las riquezas ahogan la semilla
= la semilla no llega a dar fruto

Oye la Palabra>> Oye la Palabra y la entiende
= produce cosecha

Te invito a hacer un nuevo análisis introspectivo. Ora y pídele al Espíritu Santo que te quite el velo que hasta ahora no te permite ver con claridad tu realidad, de manera que puedas identificar si tu problema está en tu terreno. Si es así, identifica qué es lo que no te permite crecer y disfrutar el fruto del Espíritu, y toma decisiones radicales.

Los valientes son los que arrebatan el Reino de los Cielos. Si te encuentras en un estado de pasividad, muévete; es una trampa del mal. La pasividad busca detenerte y se alimenta de las áreas ocultas donde los hijos de Dios no han permitido que el Espíritu Santo entre para transformarlos. La humildad es un acto poderoso para vencer al enemigo, porque cuando nos humillamos, el Señor se exalta en nosotros. Cerramos las puertas a la soberbia espiritual.

Algo que te debes preguntar es: ¿hay más humanidad en ti, que el fruto del Espíritu Santo? Sé que estas palabras son duras, pero necesarias para los que son llamados hijos de Dios, porque ¿qué padre no disciplina a sus hijos por amor? ¡Cuánto más el Padre Celestial!

Es necesario que pases de un nivel superficial de razonamiento humano, a la profundidad de la verdad que solo es revelada a través del Espíritu Santo. Solo Él conoce los secretos profundos del Padre y sabe para qué fuiste creado. Él te conecta con la fuente de vida y te va transformando a medida que tú decides soltar el control y rendirte al Señor.

Es curioso, y creo que a muchos nos ha pasado, que escuchamos la frase *«soltar el control»* y nos choca, porque como seres humanos queremos tener todo muy calculado. En ciertos momentos podemos estar citando la Biblia como un amuleto de suerte sin recibir resultados y sentir frustración. Por ejemplo, quizás llevas tiempo orando al Padre para poder hacer la voluntad de Dios y recibes la respuesta, pero en la instrucción que recibes, parece ser, a tu entender, que Dios se equivocó. Entonces comienzas a refutar y a contender desde una base de pensamiento humanista.

Cuando vemos en la Palabra la vida de muchos hombres y mujeres de Dios que conquistaron, fue debido a la obediencia y confianza, aunque pareciera una locura. ¿Qué te parece Noé cuando el Señor le dijo que construyera el arca? Nunca había llovido. Cuando el Señor le dijo a Abraham que saliera de la tierra y de su parentela a un lugar que Él le mostraría, inicialmente Abraham no tenía el mapa con las coordenadas exactas de la tierra.

Te pregunto:

¿Quién es el Espíritu Santo en tu vida?

_____

_____

_____

¿Cómo describes al Espíritu Santo que conoces?

_____

_____

_____

¿Cómo reconoces que has entrado en los terrenos sobrenaturales del Reino y son parte de tu vida?

_____

_____

_____

¿Cómo resuelves los problemas cotidianos de la vida: creyendo en la Palabra y las soluciones que provee? ¿O en ansiedad y preocupación?

_____

_____

_____

¿Cómo aplicas la Palabra de Dios en tus decisiones? ¿Cuál es tu fuente de inspiración?

_____

_____

_____

¿Hay áreas de oscuridad en tu vida? ¿No quieres que sean alumbradas por vergüenza o porque no sabes cómo salir de ahí?

_____

_____

_____

He aprendido que mientras más honesta y transparente soy conmigo misma y con Dios, más me acerco al Padre. Él conoce nuestra vida desde antes que llegáramos al mundo; conoce nuestro trasfondo. No le tenemos que recordar de dónde salimos, tampoco el linaje de nuestra familia; más bien, el Señor está esperando que entendamos nuestra identidad y para qué fuimos creados.

Mientras vivimos una vida de humillación entendiendo que separados de Él nada somos y que no somos perfectos, entonces se nos hace más fácil el camino. Entramos en los terrenos de humildad y aceptación cuando reconocemos nuestra dependencia al Espíritu Santo con hechos y verdad.

Una de las peticiones que debemos hacerle al Padre es que ilumine nuestro entendimiento. Somos guiados por lo que creemos. Entonces, si tu entendimiento está vacío, sin revelación de la Palabra de Dios, tus resultados estarán desconectados del propósito.

Ese proceso de rendición y relación con el Espíritu Santo es un proyecto de vida que hay que cultivar, día a día. Somos conocidos por los frutos que producimos, tanto en lo natural como en lo espiritual.[40] Cuando la Palabra de Dios habla de fruto se refiere a lo que proviene del Espíritu.

Hay un dicho muy conocido en el mundo que dice: «*Yo soy bueno, no le hago daño a nadie*». ¡Cuántas personas con buenas intenciones destruyen a otras! Es un tema de perspectiva. Sin embargo, la pregunta correcta que te debes hacer es: ¿Mi terreno es conocido por el fruto que produce el Espíritu Santo, manifestado en amor, gozo, paz, paciencia, benignidad, bondad, fe, mansedumbre, templanza? ¿O por el contrario, produce adulterio, fornicación, inmundicia, lascivia, idolatría, hechicerías, enemistades, pleitos, celos, iras, contiendas, disensiones, herejías, envidias, homicidios, borracheras, orgías? Sé que la

---

40    Ver Mateo 7: 17-20

confrontación es fuerte, pero Dios enseña a los que llama hijos. La autoridad que el Señor te ha dado es conocida y temida en el infierno cuando caminas en la verdad, manifestando el fruto del Espíritu.

Existen muchas cosas en este mundo que aparentan ser buenas, pero su propósito es distraer y desenfocar del origen. Si eres ambivalente no puedes avanzar y entras en un círculo repetitivo. Cuando cualquier viento te confunde, a tal punto que no te permite ejercer autoridad espiritual, entonces debes saber que tienes que revisar tu terreno. ¿Dónde está tu fuerza? No te sientas mal, todos pasamos por este proceso. La clave se encuentra en tus decisiones. Tu fuerza viene del Señor, pero quien decide eres tú. Escoge, pues, la vida.

Una gran llave es la adoración, que es más que cantar. Adoramos a Dios cuando vivimos en una actitud de humillación entendiendo que no somos perfectos, pero que necesitamos y dependemos de Él para vivir. En mi caso, una de las cosas que practico estratégicamente es rendir en el altar a Dios, en mis tiempos con Él, las áreas que identifico que son puertas abiertas en mi vida que necesitan ser cerradas. Cuando hablo de altar no me refiero a un templo físico, sino a ese lugar secreto donde solo estamos el Espíritu Santo y yo. Es ahí donde conozco y soy conocida por el Padre y aun los demonios tiemblan.[41]

El sistema de este mundo solo se va a sujetar a la autoridad de Dios. Si tú caminas con el Espíritu Santo, entonces podrás manifestar los milagros y señales que seguían a Jesús.[42]

---

41    Ver Hechos 19:15

42    Ver Romanos 8:27, Hebreos 9:14, 1 Corintios 6:19-20, Efesios 6:12, Salmos 143:10

Atrévete y lánzate a la aventura de caminar siendo guiado por el Espíritu Santo, con el entendimiento de que Él no te va a hacer daño y te va a llevar a lugares seguros. La carga del Señor es ligera. Es mejor estar rendidos a los pies del Maestro en humildad que autoengañarnos creyendo que tenemos resuelta la vida. Ningún ser humano en esta tierra tiene la verdad absoluta, porque el Señor se manifiesta conforme a su multi sabiduría.

Hoy en día estudiar acerca del Espíritu Santo es percibido como un tema místico que solo unos pocos entienden a cabalidad. O por el contrario, se habla mucho acerca de Él, pero cuando estudiamos más profundamente, nos damos cuenta de que existe una desconexión entre la verdad que establece el Señor en su Palabra y la realidad del ser humano, que a su vez ha sido adoptada como verdad. Cuando recibí el bautismo en el Espíritu Santo tenía 21 años. Fue un encuentro hermoso que marcó mi vida para siempre; comenzó el despertar de mi realidad ante la presencia de Dios. Lo primero que hizo el Señor fue poner un cántico nuevo en mis labios, que producía gozo y paz. Aunque al principio no entendía lo que me ocurría, estaba clara en algo: no quería que se fuera de mi vida. Pasaba horas en la madrugada orando y buscando aprender y conocer más del Señor. Para mí era y sigue siendo un deleite disfrutar Su Presencia.

¡Qué maravilloso es el Señor! Su plan es perfecto para cada una de nuestras vidas. ¡Si tan solo lo buscáramos con el mismo fervor que buscamos tesoros terrenales! En la Presencia del Señor se ganan batallas y obtienen grandes victorias que ya han sido escritas en el Libro de la Vida.

No pases por la vida sin entender para qué fuiste creado y mejor aún: da cumplimiento a Sus planes. Vive día a día a los pies del Maestro, en el lugar secreto, aprendiendo y conociéndole más a Él. El Señor es una fuente inagotable; te toca a ti tomar de su agua todos los días. Tienes que vivir rendido y guiado por el Espíritu Santo para que puedas ser un agente que produzca cambios en otros.

Hay un ejercicio de evaluación que hago constantemente en mi vida: analizo qué cosas debo soltar porque no son necesarias y me están causando peso en el camino por donde el Espíritu me quiere llevar. Recuerda que las distracciones han sido diseñadas por el mal para que tú no avances en el Reino y no cumplas el plan de Dios. Sé astuto, vence el mal con el bien y muévete hacia el diseño que ya fue establecido. La vida es preservada en el Señor.

# Seguir y servir

A veces pensamos que seguimos a Dios porque servimos dentro de una congregación, pero nuestros pensamientos no están con Él. Todo lo que ocupa el primer lugar en tu vida se convierte en otro Dios a quien sirves y sigues. Eso se llama idolatría.

Tal vez asistas a la iglesia y levantes las manos los domingos, pero puede que tu corazón esté lejos de Dios. Quizás hay mucho conocimiento, estudios bíblicos, discipulado, pero cuando miras los frutos que tu corazón está produciendo te das cuenta de que actúas como los fariseos. ¿Te has sentido desconectado de la fuente de vida, aunque crees en Él y reconoces que es real?

Esta pregunta confrontó mi corazón, porque como ya te he contado antes, hubo un momento en mi vida en donde mi trabajo y el deseo de conquistar mayores cosas, ocuparon el primer lugar en mi corazón. Esto no quiere decir que sea malo aspirar a mayores cosas y generar dinero; el problema es cuando tu mente y tu corazón están comprometidos con tus objetivos y dejan al Señor en segundo lugar, como me pasó a mi y tal vez, pueda estarte pasando a ti. Muchas veces el ser humano se desenfoca porque el centro de su vida cambió, ya no es Dios. Poco a poco las prioridades se invierten y cuando despiertas te das cuenta de que vas por la dirección incorrecta. Comenzaste bien la carrera, pero te desviaste. Entonces yo me pregunto, si el objetivo primordial es conocer más a Dios, ¿por qué actuamos indiferentes a Él?

Cuando te conectas con la vida que es Cristo, tu corazón y tu mente están siendo alimentados por la Palabra de Dios, y te das el espacio y tiempo para cultivar tu ser interior. Entonces vas a producir frutos en el Espíritu, las bendiciones te seguirán y vivirás con sentido de propósito, dando cumplimiento al diseño que ya fue escrito.[43] Por el contrario, si tu corazón entra en el territorio del engaño comienzas a caminar bajo oscuridad. El fruto en tu vida te va a dar la respuesta. Descubre si te estás engañando a ti mismo. Toma tiempo para orar y pídele a tu Padre que te permita ver con claridad. En la vida hay muchas distracciones y estímulos que te pueden desenfocar fácilmente.

Para seguir y servir a tu Señor Jesús necesitas conectarte con Él, porque es la fuente de vida. Si conoces la Palabra de Dios y permites que el Espíritu Santo te enseñe y te guíe, podrás caminar confiado.

¿Qué necesita Dios de ti? Tu obediencia, confianza y aceptación. Tú necesitas de Él todos los días de tu vida. Eso se llama dependencia y adoración.

Para que seas guiado por el Espíritu Santo, tienes que soltar el control y el timón de tu vida. El Señor tiene pensamientos de bien para ti. Esos pensamientos buenos los descubrirás a medida que sometas tu conciencia a la Palabra de Dios. Entonces conocerás y descubrirás tu esencia. Cuando descubres tu esencia, deseas abrazarla, cuidarla, alimentarla y darle paso en tu camino para que sea luz en el camino de quien anda en oscuridad.

En este proceso de vida aprenderás a soltar el peso que no te deja avanzar, y te darás cuenta de que lo que parecía imposible, es posible con la guía de Dios. En el Señor hay más de una sabiduría. Esto quiere decir que tenemos que estar dispuestos en todo tiempo a ser enseñados en

---

43      Ver Romanos 7:19-25.

la multiforme gracia y en las diferentes formas de conquistar en esta vida, que nos llevarán a crecer y a conocer más a Dios.

Mientras estemos ocupados en nuestra necesidad no podremos ver el Reino de Dios ni conectarnos con el propósito.

## En resumen

Si hay algo que deseo impartir a tu espíritu, es que puedas disfrutar del beneficio que produce el Espíritu Santo en la vida de aquellos que lo han conocido. Rendirte a Él es el acto de humildad más grande que te llevará a grandes conquistas.

## Oración

*Espíritu Santo, te anhelo y deseo conocerte. Ven a mi vida y toma total control de mi ser interior. Te entrego mis decisiones, mis planes y todo lo que soy. Quiero ser lo que ya el Padre dijo que soy. Enséñame a vivir la vida en ti. Gracias Señor.*

_Plan de Acción_

¿Cuáles son los 3 hábitos que puedes cultivar para crear el espacio y el tiempo para conocer más de Dios?

Hábito #1          Fecha de comienzo:_____

_____

_____

_____

Hábito #2          Fecha de comienzo:_____

_____

_____

_____

Hábito #3          Fecha de comienzo:_____

_____

_____

_____

**Consejos:**

1. Comprométete contigo mismo en hacer parte de ti los hábitos que van a beneficiarte en tu futuro.

2. Recuerda que estás en un proceso de transformación. Haz lo necesario para permanecer.

3. Elimina de tu agenda aquellas cosas que ocupan tu tiempo y no producen nada en ti.

4. Separa un tiempo para leer la Palabra, que puede empezar siendo de 15 minutos diarios. Si no sabes por dónde comenzar empieza con Salmos y Proverbios.

5. Medita en la Palabra que leíste ese día y escribe en un diario el aprendizaje.

# Descubre
# la clave

«Oren en el Espíritu en todo momento, con peticiones y ruegos. Manténganse alerta y perseveren en oración por todos los santos». (Efesios 6:18)

Vivimos en un tiempo donde parece ser que la oración está en peligro de extinción. Es irónico que vivamos en la era en la que tenemos disponibles los mayores avances en tecnología y comunicación para facilitarnos la vida; sin embargo, hemos abandonado el medio más importante de comunicación que podemos tener: el que nos da acceso al Padre.

Tú puedes decir: «*Yo oro*», pero si eres honesto contigo mismo, ¿puedes afirmar que le dedicas al Señor tiempo de calidad para hablar con Él y estudiar Su Palabra; o solo te alimentas de las visitas eclesiásticas que realizas semanalmente?

El primer altar en el que nos debemos presentar es el altar a Dios en nuestros hogares, en donde nadie nos ve y donde ocurren los encuentros más hermosos en intimidad con nuestro Creador. ¿Recuerdas tu primer encuentro con el Señor? Ese primer amor, donde anhelabas pasar tiempo con el amado de tu corazón.

La parábola de las vírgenes sensatas e insensatas nos muestra un poco mejor lo que te quiero enseñar:

*«El reino de los cielos será entonces como diez jóvenes solteras que tomaron sus lámparas y salieron a recibir al novio. Cinco de ellas eran insensatas y cinco prudentes. Las insensatas llevaron sus lámparas, pero no se abastecieron de aceite. En cambio, las prudentes llevaron vasijas de aceite junto con sus lámparas. Y, como el novio tardaba en llegar, a todas les dio sueño y se durmieron. A medianoche se oyó un grito: "¡Ahí viene el novio! ¡Salgan a recibirlo!" Entonces todas las jóvenes se despertaron y se pusieron a preparar sus lámparas. Las insensatas dijeron a las prudentes: "Dennos un poco de su aceite porque nuestras lámparas se están apagando". "No —respondieron estas—, porque así no va a alcanzar ni para nosotras ni para ustedes. Es mejor que vayan a los que venden aceite, y compren para ustedes mismas". Pero mientras iban a comprar el aceite llegó el novio, y las jóvenes que estaban preparadas entraron con él al banquete de bodas. Y se cerró la puerta. Después llegaron también las otras. "¡Señor! ¡Señor! —suplicaban—. ¡Ábrenos la puerta!" "¡No, no las conozco!", respondió él». Por tanto —agregó Jesús—, manténganse despiertos porque no saben ni el día ni la hora». (Mateo 25:1-13)*

Mantener la lámpara llena de aceite significa perseverar en una vida llena de la Presencia del Señor, en búsqueda y entrega, porque no sabemos cuándo será el gran día que el esposo vendrá por su Iglesia.

Te debes estar preguntando: *«¿Cómo lo hago? Lo he tratado, pero siempre termino en el mismo lugar».* La respuesta es la oración. Ese es el medio que te va a conectar con el corazón del Padre. Es ahí donde eres afirmado con la Palabra de Dios.

Conocer Su Palabra y hacerla viva será la clave para tener la victoria en tiempos difíciles, porque te guiará con paso firme y seguro en el camino que te ha tocado vivir. La voluntad y promesa de Dios es que va a estar contigo todos los días de tu vida, hasta el fin.

## ¡Rompe el ciclo!

¿Te has encontrado caminando en el mismo círculo, una y otra vez? o ¿sientes que estás avanzando y te das cuenta de que estás en el mismo lugar? No te preocupes, no eres la única persona que pasa por la misma experiencia, es un patrón humano. Sin embargo, no creo que nadie desee vivir en un patrón destructivo.

Aun así, frente a este tipo de situaciones podemos segmentar a las personas en tres grupos con tres niveles de pensamiento:

El primer grupo es el tipo de persona que camina creyendo que su vida es así, porque por generaciones su familia ha sufrido el mismo patrón y, por consiguiente, ellos no son la excepción. Tristemente muchos de ellos se preparan inconscientemente para vivir lo mismo, simplemente porque piensan que son incapaces de salir de ese estado, no saben cómo hacerlo y están acondicionados a permanecer, mentalmente, en ese lugar.

El otro grupo camina por la vida sin entender por qué continúan los patrones negativos en su vida. Ellos piensan que es normal dado a que la sociedad que le ha tocado vivir es así y no creen que existe algo mejor.

El tercer grupo es aquel que sufre en lo secreto, que sabe que no es normal lo que está viviendo en su interior ni en las circunstancias que le rodean, pero no sabe cómo expresar y buscar las herramientas y ayuda correcta por temor a ser juzgado.

Existen muchas posibles razones por las cuales estos grupos permanecen viviendo una vida cautiva. Si te has identificado con alguno de ellos, necesitas despertar y establecer un plan estratégico, alineado a Dios, para salir hacia adelante y conectarte con la fuente de vida y con tu propósito. Uno de los peores enemigos silentes que tenemos se llama rutina: familiar, laboral, personal, eclesiástica... en fin, en todo nuestro estilo de vida. Sin darnos cuenta, tenemos nuestro espacio y tiempo ocupado en muchas cosas, pero apenas tenemos tiempo de calidad para el Señor.

¿Te has encontrado alguna vez tratando de hacer cambios en tu rutina, pero terminas en el mismo lugar? Vamos a verlo desde otra perspectiva:

Existe una mentalidad dentro del cuerpo de Cristo que piensa que al asistir a la iglesia con regularidad y participar de algún ministerio, está cumpliendo con la voluntad de Dios. Entonces, si Su voluntad es que caminemos en la libertad a la que hemos sido llamados y funcionar manifestando el fruto del Espíritu Santo, me pregunto: ¿por qué parece ser que hay una iglesia activa, pero a la vez dormida y complacida con su estado actual?[44] Alrededor de cuatro generaciones permanecieron en esclavitud en

---

44    Ver Éxodo 13:17-18.

Egipto y pareciera que en la actualidad estuviéramos en la misma condición.

Pero, ¿qué pasa muchas veces? Que cuando no estamos preparados para la conquista, el Señor desvía a Sus hijos en el camino y los mantiene en un lugar seguro. Es un tiempo en donde Dios sana y equipa, para luego enviarlos a cumplir Su voluntad y propósito. Pero, por falta de entendimiento y de humildad, la humanidad perece en sus circunstancias. El miedo a lo desconocido los lleva a debatirse entre el anhelo de la promesa y el temor a lo que vendrá. Comienza la lucha en el pensamiento que, en ocasiones, termina dando el fruto de incredulidad en el corazón, lo cual imposibilita la manifestación del Espíritu Santo en sus vidas.

¿En dónde está la clave? En la oración basada en la Palabra. Eso es todo lo que necesitamos para conocer la voluntad y el depósito del Padre en nosotros. La voluntad de Dios es bendecirnos para que podamos deleitarnos con el bien que proviene de Su Reino.

En el principio, cuando Adán y Eva disfrutaban de la plenitud del Padre en el huerto del Edén, permanecían en comunión con Dios y no les faltaba nada. Luego, entró la estrategia del mal, que todavía sigue vigente, cuyo propósito es sembrar enemistad entre el hombre y su relación con el Creador. Sutilmente, el enemigo ha querido ganar terreno en lo oculto para que el poder de la unidad que produce el Espíritu Santo junto al hombre, no se manifieste.

Existe un mundo espiritual que los hijos de Dios deben discernir para poder vivir la vida en libertad. Las ataduras provienen del pensamiento consciente y subconsciente. Date cuenta de que hay una batalla en tu mente. Jesús sufrió la misma batalla en sus pensamientos y nos dejó un modelo a seguir: el modelo de la oración. En el tiempo del ministerio de Jesús, Él dejó un legado lleno de enseñanzas para ti y para mí.

Jesús conocía su identidad, propósito y la voluntad del Padre para su vida. No obstante, Él se retiraba constantemente a orar y conectarse en intimidad con el Padre. Jesús sabía que su fuente de vida provenía de Él y, a pesar de que el poder de Dios se manifestaba en Él de manera sobrenatural, su dependencia y búsqueda en oración era absoluta y continua.

*«Y les dijo: Esta es la clase de espíritu que solamente se puede echar por medio de la oración». (Marcos 9:29, Nuevo Testamento Judío)*

¿Has identificado lo que está deteniendo tu crecimiento espiritual? Cuando analizas tu vida, ¿te encuentras que eres reincidente en diversas situaciones? Entonces es tiempo de hacer un alto. Tienes que entender que eres importante para Dios y tu vida no es un accidente. No aceptes la mentira de la soledad y el supuesto abandono de Dios para sus hijos. Ahora, identifica lo que te detiene.

## La realidad de las maldiciones

Hoy en día poco se enseña acerca de las maldiciones generacionales que tienen un origen espiritual. Las iglesias se han modernizado a tal punto que no desean ofender o molestar a las personas. Es por eso, por lo que vemos mensajes dirigidos a calmar las emociones y el estrés de la vida. Parece ser que se repite la historia cuando el Rey Saúl le pedía a David que le tocara el arpa para calmar su ansiedad. Puedes buscar 1 Samuel 16:14-23.

Entonces, si identificas patrones similares a los de tus antepasados, no te prepares para lo peor; sino para lo mejor de Dios para ti y tu descendencia. Es tiempo de saber que quizás te alcanzó una atadura generacional que tienes que desatar en el nombre de Jesús. Prepara tu mente con las Escrituras. El corazón es engañoso y en este proceso necesitas utilizar la Palabra de Dios a tu favor, por encima de tus emociones, porque es ahí donde conquistarás tu victoria. No sientas vergüenza de reconocer tus áreas de oportunidad. Al contrario, sé astuto y libérate de todo lo que te impide manifestar a Dios, a través de tu vida, porque esa es Su voluntad. Vamos a echar un vistazo a algunas de las maldiciones generacionales que menciona la Biblia:

- Efesios 4:29, 5:4 (Conversaciones obscenas)
- Santiago 1:26, 3:9-12 (No domar la lengua)
- Deuteronomio 11:26 (Desobediencia e idolatría)
- Jeremías 23:10 (Adulterio y escasez)
- Lucas 6:45 (Maldad en el corazón que produce maldad)
- 1 Pedro 3:10 (Hablar mal y proferir engaño
- Deuteronomio 5:11 (Usar el nombre del Señor en vano)
- Salmos 10:7 (Llenar la boca de maldiciones, mentiras y amenazas. Esconder, bajo su lengua, maldad y violencia).
- Timoteo 2:16 (No interpretar rectamente la Palabra de verdad)

- Colosenses 3:8, 4:6 (Inmoralidad sexual, impurezas, bajas pasiones, malos deseos y avaricia, lo cual es idolatría, enojo, ira, malicia, calumnia y lenguaje obsceno, mentira, vicios)
- Jeremías 48:10 (Negligente para realizar el trabajo del Señor)
- Romanos 3: 13-18 (Mentira y traición)
- 1 Corintios 15:33 (Malas compañías)

Una de las maldiciones que provoca que generaciones se mantengan subyugadas es el poder creativo que emiten las palabras. Así que ahora quiero que tomes un momento para hacer un ejercicio, con el que vas a empezar a romperla:

1.  Haz un inventario de las palabras que han salido y continúan saliendo de tu boca.

2.  Ahora, haz el mismo ejercicio, pero con las palabras que tus padres y familiares han dicho sobre ti.

3.  Medita, con la ayuda del Espíritu Santo, cuáles han sido el efecto de esas palabras en tu vida; qué palabras han sido lanzadas sobre ti y has adoptado como tuyas, obedeciendo el efecto de ellas.

    He aprendido en la Palabra de Dios que ningún ser humano tiene el derecho de destruir la vida de otra persona. Eres un tesoro del Señor que necesita brillar. Eres un jardín que necesita florecer y cuya vida debe ser manifestada.

4. Ahora, ora permitiendo que el Espíritu Santo te dirija y por cada mentira o palabra negativa que ha sido dicha sobre ti, busca en la Palabra de Dios una verdad que la destrone. Escríbelas y colócalas en lugares estratégicos donde las puedas leer constantemente hasta que las hagas una verdad absoluta para ti. El Señor nos ha regalado una estrategia poderosa para vencer el pensamiento negativo:

*«Por último, hermanos, consideren bien todo lo verdadero, todo lo respetable, todo lo justo, todo lo puro, todo lo amable, todo lo digno de admiración, en fin, todo lo que sea excelente o merezca elogio». (Filipenses 4:8)*

Al finalizar, en el plan de acción, encontrarás una guía para que lo puedas desarrollar.

Este es el tiempo de tu transformación, un paso a la vez. En este proceso utiliza las herramientas de la oración y el ayuno. Recuerda que la voluntad del Señor es que seas libre y feliz. No existe nada en este mundo más importante que estar en la Presencia del Señor buscando Su consejo y dirección, porque es ahí donde eres entrenado, equipado y pleno en Él.

Luego, identifica un buen consejero y amigo que se pueda poner en común acuerdo en tu proceso y que, juntamente contigo, pueda decretar la Palabra sobre ti. Todos necesitamos consejeros y amigos en la fe a nuestro lado para ayudarnos a construir nuestro proyecto de vida, a quienes a la vez, podamos bendecir. Sin embargo, recuerda que eso nunca debe sustituir tener tu tiempo con Dios primero.

He descubierto que, en muchas ocasiones y en distintas etapas de la vida, permitimos que nuestro corazón se convierta en un almacén que guarda un equipaje que no necesitamos y terminamos pagando un precio que no nos corresponde. Ese equipaje crea un peso difícil de cargar. El Señor nos dice, en Mateo 11:30: *«Porque mi yugo es suave y mi carga es liviana»*.

Libérate de todas las cosas que te atan al pasado y extiéndete al futuro glorioso que ya fue diseñado para ti.

## En resumen...

La oración es la clave para romper los ciclos dañinos en tu vida. Las maldiciones generacionales son reales y tienen un origen. No tomes este tema en poco. Tómalo en serio y date la oportunidad de experimentar la verdadera libertad que produce el Espíritu Santo de Dios en ti. Reflexiona en todos aquellos detalles de tu vida que te has dado cuenta de que no controlas y que continúan siendo repetitivos, actuando en tu contra, a pesar de que lo has intentado dominar.

No fuiste creado para permanecer estancado en el dolor. Dios lo hizo para que vivas una vida plena, porque la señal del fruto del Espíritu Santo es paz en medio de la adversidad. La agonía no es tu hogar y no fue diseñada para que permanecieras en ella. Por eso, Cristo fue a la Cruz; para que en Su Nombre vencieras, juntamente con Él.

Te aconsejo que no descuides tu tiempo de oración y que busques rodearte de las personas correctas, incluyendo un líder espiritual probado que te ayude en tu proceso de crecimiento. Este proceso no lo puedes pasar aislado del cuerpo de Cristo. Sé humilde y acepta ayuda, y verás cómo tu vida cobra sentido y comienza a experimentar lo que solo la esencia del Reino de Dios puede causar en los hijos. Acepta el reto y atrévete a ser feliz.

*Oración*

*Señor Jesús, te necesito y reconozco que moriste en la cruz por mí. Tomo tu Palabra como mi espada, declarando que por tu sacrificio yo soy libre de _____ (menciona cada una de las maldiciones). Rompe toda maldición generacional que hasta hoy me ha detenido, límpiame con tu preciosa sangre, abre mis ojos y purifica mi corazón. Enséñame el camino que el Padre ya diseñó para mí y para mi familia. Tú me has llamado a vivir en plenitud, y yo quiero disfrutar la vida plena que proviene de ti. Quiero reconciliarme contigo. Alineame a tus propósitos. Creo en ti como dice la Escritura. Soy un Hijo de Dios y mi corazón te pertenece. Todo lo puedo en Cristo que me fortalece. Yo tengo el ADN de Cristo. Su sangre me ha limpiado, me ha liberado y ha provocado en mí un nuevo nacimiento, en el nombre del Padre, Hijo y Espíritu Santo. Amén.*

# Plan de Acción

Siguiendo las instrucciones con respecto a romper las maldiciones, haz el siguiente acto de fe:

Palabras negativas hacia mí, que constantemente salen de mi boca:

_____

_____

_____

Palabras negativas que mis familiares o personas cercanas han afirmado sobre mi:

_____

_____

_____

Verdades en la Palabra de Dios que destronan cada palabra de mentira dicha sobre mí (por mí o por otras personas):

_____

_____

_____

Complementa este plan de acción con los recursos que encontrarás en
www.symbiadiaz.com

# Determinación y acción

«¡Refúgiense en el Señor
y en su fuerza, busquen
siempre su presencia!».
(1 Crónicas 16:11)

Luego de haber orado y experimentado un tiempo hermoso de conexión con el Espíritu Santo, te invito a comenzar un proceso de completar los espacios vacíos. Tu vida tiene que ser llena de la Palabra de Dios, con intención.

Existen tres puntos que son vitales en este proceso: **ser determinado, entender tu identidad de hijo y caminar en la verdad.** El resultado será una vida balanceada en medio de tu rutina diaria.

La determinación es la fuerza interna que te llevará a establecer y cumplir tus hábitos de oración, estudio de la Palabra y altar familiar. Te toca a ti definir los límites con tu vida y familia, tomando como ejemplo a Jesús, el maestro y pastor por excelencia. Si estudiamos su vida, nos damos cuenta de que Él era radical con los religiosos, con su familia y con sus discípulos. No tengas miedo a las críticas de los demás, porque siempre estarán a tu alrededor, como estuvieron siempre con Jesús. Sé radical tú también y ocúpate de obedecer y honrar al Padre, que es el único que merece tu reverencia. Cuando tu relación con el Padre esté restablecida, te darás cuenta de todos los

NO que te tocará decir con el propósito de cuidar tu vida y la de tu familia. ¿Cómo lo sabrás? Por Su paz, que te sella y da libertad. Notarás cómo florece el fruto del Espíritu en tu vida que te servirá por señal. No te preocupes por ser perfecto, porque no podrás serlo. Solo necesitas depender, hacer tu parte en el Reino y confiar en el Señor. Él te amó primero y Su amor no ha caducado.

En la Palabra, el Señor siempre está haciendo una invitación a sus hijos a tomar decisiones. Nos corresponde a nosotros hacer nuestra parte y ser consistentes. Te recomiendo que escribas un diario de tu tiempo con Dios. Anota ahí tus necesidades y busca en la Palabra una promesa para cada necesidad. Medita en las Escrituras, habla con tu Dios y espera. Saca tiempo para escuchar y permanecer en quietud. El Señor dice que el que le busca, lo encuentra.

*«Me buscarán y me encontrarán cuando me busquen de todo corazón». (Jeremías 29:13)*

*«Oh Dios, tú eres mi Dios; yo te busco intensamente. Mi alma tiene sed de ti; todo mi ser te anhela, cual tierra seca, extenuada y sedienta». (Salmos 63:1)*

*«Pedid, y se os dará; buscad, y hallaréis; llamad, y se os abrirá». (Mateo 7:7)*

*«Deléitate en el Señor, y él te concederá los deseos de tu corazón». (Salmos 37:4)*

*«Busqué al Señor, y él me respondió; me libró de todos mis temores». (Salmos 34:4)*

*«En ti confían los que conocen tu nombre, porque tú, Señor, jamás abandonas a los que te buscan». (Salmos 9:10)*

*«Dichosos los que guardan sus estatutos y de todo corazón lo buscan». (Salmos 119:2)*

*«Así dice el Señor al reino de Israel: «Búsquenme y vivirán». (Amos 5:4)«Busquen el bien y no el mal, y vivirán; y así estará con ustedes el Señor Dios Todopoderoso, tal como ustedes lo afirman». (Amós 5:14)*

*«Viviré con toda libertad, porque he buscado tus preceptos». (Salmos 119:45)*

*«Así también, la sabiduría es dulce a tu alma. Si la encuentras, tendrás un futuro brillante, y tus esperanzas no se truncarán». (Proverbios 24:14)*

*«Busquen al Señor mientras se deje encontrar, llámenlo mientras esté cercano. Que abandone el malvado su camino, y el perverso sus pensamientos. Que se vuelva al Señor, a nuestro Dios, que es generoso para perdonar, y de él recibirá misericordia. «Porque mis pensamientos no son los de ustedes, ni sus caminos son los míos —afirma el Señor—». (Isaías 55:6-8)*

Si te fijas, hay una invitación latente del Señor para que le busques de todo corazón, bajo el orden correcto, manifestando el fruto de su Espíritu que produce en ti paz, amor y gozo. No dice: *«búsquenme los perfectos»*. Dios sabe que sin Él nada somos y nada podemos lograr.

Cuando le buscas anhelando tener un encuentro con el Amado, le encontrarás y te deleitarás en Él como nunca. Si tu deleite se encuentra en el lugar correcto, en tu interior habrá un gozo inagotable. Busca que, cada día, la lámpara de tu vida esté encendida con la vida de tu Señor y Salvador. Sé firme. Que tu tiempo en intimidad con el Señor vaya en ascenso, no en descenso; para que la llama de la esperanza que produce en ti el querer y hacer Su voluntad, sea absoluta.

Empieza definiendo un lugar de encuentro en tu hogar. Que todos en casa identifiquen que es donde, como familia, van a honrar a Dios. Aparte de tu tiempo íntimo con el Señor, incorpora a los tuyos, hazlos parte y enséñales la importancia de honrarle desde casa. Adoren juntos, lean la Palabra y oren. Permítele a Dios hacer de tu hogar, uno santo. Tu determinación y firmeza te ayudarán a permanecer y ser consistente en los planes que el Señor ha sembrado en tu corazón.

Vas a requerir de mucha valentía para desintoxicarte del sistema de este mundo y llenarte de la verdad, guiado por el Espíritu Santo. Te garantizo que si resistes el proceso verás cumplirse la promesa de que eres vencedor, por cuanto ya Él venció. Mantén en tu núcleo más cercano los planes de Dios para tu vida. La razón es sencilla: tienes que proteger la semilla para que nadie mine tu fe.

Te voy a contar algo muy personal que puede ser de ayuda para ti:

Como ya te he dicho antes, en mi tiempo más «exitoso», donde mi carrera continuaba en ascenso y no tenía necesidad de ningún bien material, fue el tiempo donde también me di cuenta de cuán lejos de Dios me encontraba.

A pesar de que nunca dejé de asistir a la iglesia, que colaboraba económicamente según el orden eclesiástico y cumplía con lo que los hombres esperaban, descubrí que no agradaba a Dios. Lo peor de todo es que yo pensaba que estaba bien, sin darme cuenta de que mi relación con el Señor había sido sustituida por las riquezas y placeres de este mundo.

Para mí fue muy difícil entender lo mal que estaba, porque, sin darme cuenta, estaba llena de orgullo y altivez. Recuerdo que mis consejeros continuamente me hablaban de regresar a mi «Aposento Alto», es decir, a mi lugar de intimidad con el Señor. Era Dios mismo recordándome que mi problema estaba en que había dejado mi primer amor. Cada vez que lo hacían, en mi interior me molestaba, pero ellos tenían razón. Hoy los bendigo y doy gracias por su amor, porque créeme, fui muy confrontada, pero era necesario para que hoy yo pudiera cumplir el llamado del Señor en mi vida. No me había dado cuenta de que yo misma me había alejado y lo irónico era que rara vez faltaba a la iglesia.

Recuerdo que, en el año 2011, una compañera de trabajo me regaló un libro que hablaba acerca del ayuno y me invitó a comenzar el año 2012 en un ayuno de veintiún días. Le agradezco a mi amiga por la invitación, porque fue ahí, en ese tiempo de reconexión espiritual con Dios, donde comenzó una nueva temporada de restauración y dirección en mi vida. Ese año fue bien inusual. Mi oración comenzó a cambiar y mi deseo era estar con el amado y hacer Su voluntad. Le había quitado el peso que tenía la carrera profesional sobre mí, mis anhelos comenzaron a cambiar y comenzó a florecer mi vida, una vez más por la misericordia y amor de Dios.

A finales de ese mismo año, 2012, recibí la noticia en mi trabajo de que mi posición sería eliminada. Ellos me hicieron un ofrecimiento y me dieron una semana para pensarlo. En esos días pude entender que la voluntad de Dios, aquella que anhelaba descubrir y por la cual estaba orando, me estaba llevando por otra ruta. Lo supe porque la paz que solo proviene del Señor me había sellado. No lo podía explicar, mi corazón se había llenado de su gozo y entendí que era su señal. Fui muy bendecida por la compañía para la que trabajé, pero había entendido que mi tiempo había terminado. Tomé la decisión de continuar mi camino.

En enero de 2013, nuevamente comencé el año con un ayuno de 40 días. Te soy honesta; no sabía qué iba a hacer con mi vida. En un día de oración y búsqueda de dirección, el Señor me dio la instrucción de empezar a escribir mi primer libro. Estaba llena de alegría por esa encomienda, que era un secreto entre mi mamá, Dios y yo, y que nadie más sabía. Pero la alegría me duró hasta el domingo, cuando asistí a mi congregación y escuché desde el púlpito decir: «Si alguno se va a dedicar a escribir libros, busque otra profesión porque se va a morir de hambre». Yo sentí en lo natural como si me hubieran atravesado el corazón. Me confundí y comencé a cuestionar a Dios.

Con la idea de hacer lo correcto ante los hombres, diseñé otro plan. Como había sido muy exitosa en mi carrera, creé una empresa y comencé a dar servicios de mercadeo y consultoría. Tenía las relaciones, el conocimiento y todo lo necesario para triunfar. Pero faltaba lo más importante: la voluntad y bendición de Dios. Con esto quiero decir que cuando el Señor nos da una encomienda debemos ser rápidos en darle cumplimiento, tanto en la preparación como en el resultado. Me desvié en el camino, por seis años, tratando de destacar en lo que conocía; pero no estaba siendo obediente a Dios en la instrucción que Él me había ordenado. Entendí que este proceso era parte de mi formación de carácter, donde tenía que aprender a depender únicamente de Dios, no de mis talentos; porque si Dios me llamó a ser escritora, entre otras cosas, Él se encargaría de bendecirme.

Esta experiencia me dejó muchas lecciones:

Aprendí que, muchas veces, las personas te van a ofrecer un consejo con buena intención, pero si lo sigues te desviarán del propósito. Tú tienes que aprender a discernirlo. Jesús vivió esta experiencia muchas veces, aun con sus discípulos. También entendí que debemos honrar y multiplicar los talentos que nos han sido entregados, mientras comprendemos los tiempos y las prioridades para obedecer Su voz.

Cuando descubras el motor que te impulsa a realizar todas las cosas, confía en Su fidelidad y Sus propósitos. La travesía en ocasiones tiende a ser una temporada más larga debido a que, probablemente, no estás preparado para enfrentar los retos del futuro. He descubierto en la Palabra que la dirección del Padre es clara, pero el ser humano tiende a aferrarse a lo conocido y retrasa el proceso. Somos tentados a caminar en terrenos seguros, sin darnos cuenta de que los pensamientos de Dios son más elevados que los nuestros.

Entendí que tenemos que confiar en Dios, cuidar y proteger la Palabra que Él nos da y no dejarnos llevar por ningún viento contrario a Sus planes. Te va a tocar hacer fuerza y ser firme en el proceso, y te aseguro que Él te dará la victoria porque Él bendice la confianza y la obediencia.

Jesús es nuestro mejor ejemplo. Él conocía la voluntad del Padre para su vida. Aunque oró para que cambiara el plan, Él dijo: «Hágase tu voluntad». Soportó la muerte por nosotros, pero fue exaltado hasta lo sumo y hoy está sentado a la derecha del Padre, intercediendo por ti y por mí.

**Sé radical hasta tus últimos días en la tierra. Ignora la crítica y deléitate en agradar al Padre, así vivirás en tu verdadera identidad.**

## Determina vivir tu verdadera identidad

*«Mas a cuantos lo recibieron, a los que creen en su nombre, les dio el derecho de ser hijos de Dios. Estos no nacen de la sangre, ni por deseos naturales, ni por voluntad humana, sino que nacen de Dios». (Juan 1:12-13)*

*«Alabado sea Dios, Padre de nuestro Señor Jesucristo, que nos ha bendecido en las regiones celestiales con toda bendición espiritual en Cristo. Dios nos escogió en él antes de la creación del mundo, para que seamos santos y sin mancha delante de él. En amor nos predestinó para ser adoptados como hijos suyos por medio de Jesucristo, según el buen propósito de su voluntad». (Efesios 1:3-5)*

Hemos aprendido que somos hijos, no bastardos. La Palabra de Dios nos ha hecho partícipes del Reino de su Hijo amado. Como hijos, somos amados por el Padre y Él anhela que lo amemos y le creamos con la confianza de que Él tiene cuidado de nosotros.

Como te escribí al iniciar este libro, dentro de ti existe una semilla, yo la llamo esencia, que te codifica como ser único y que necesita ser expuesta para darle cumplimiento. **El fruto de tu semilla nacerá cuando decidas poner tu voluntad a los pies del Maestro, para que Él sea glorificado.** Es en ese momento donde, a través de ti, muchas vidas serán bendecidas. Te convertirás en un faro que alumbrará el camino de muchos. Es necesario que te atrevas, con determinación, a conocer tu identidad y la voluntad de Dios para tu vida. Esa que va a producir en ti paz.

Al recibir al Señor en tu corazón comienza una etapa hermosa. Eres mimado y cuidado como un bebé cuando llega a este mundo. De igual forma, tengas la edad que tengas, e independientemente de los años que lleves conociendo a Dios, necesitas permitirle al Espíritu Santo que te enseñe a ser hijo. Esto implica que las viejas costumbres, incluyendo las tradiciones llenas de religiosidad, deben ser erradicadas para que nazca una nueva criatura de acuerdo con las costumbres establecidas en el Reino.

Ese proceso de aprendizaje te tomará el tiempo que tú decidas. Toma conciencia de que cada proceso es para tu crecimiento. Por lo tanto, no te alejes, humíllate y abraza a tu amado. Él te ama tanto que quiere revelarte los secretos del Reino que desde el principio han sido ocultos. Pero necesitas madurar y crecer en Él porque, como hijo, tienes una función que cumplir en el Reino de Dios. **Si no conoces tu identidad, es muy difícil que cumplas tu llamado.**

Estamos viviendo en los últimos tiempos y ya no se predica de la venida de Cristo por sus hijos. El espíritu de este mundo quiere mantener a los hijos de Dios entretenidos, porque sabe que el día que descubran su identidad sus días se acortan. La Palabra dice:

*«En él estaba la vida, y la vida era la luz
de la humanidad. Esta luz resplandece
en las tinieblas, y las tinieblas no han
podido extinguirla». (Juan 1:4-5)*

Te dejo con este pensamiento:
**Encuentra tu vida en Cristo, porque entonces manifestarás la vida que alumbrará a otros el camino al Padre.**

*«Yo les he dicho estas cosas para que en mí
hallen paz. En este mundo afrontarán aflicciones,
pero ¡anímense! Yo he vencido
al mundo». (Juan 16:33)*

## Haz lo que te apasiona

Todas las personas sienten inclinación y amor por cosas particulares, que aplican a diferentes áreas: profesiones, pasatiempos, colores, comidas, etc. En teoría, el estilo de vida de cada uno, debería ser el reflejo de sus pasiones. Sin embargo, quizás por la influencia del entorno, muchas veces toman decisiones equivocadas en cuanto a trabajo, forma de vivir, o carrera profesional, dando como resultado que al final no hay pasión en lo que se hace, ni en la vida que se lleva.

También he encontrado a muchas personas que cuando expreso que doy gracias a Dios por el cambio del rumbo de mi vida, opinan que son pocos quienes tienen la oportunidad de realizar en la vida lo que les apasiona, o que ya son adultos para esas cosas. Pero he descubierto que lo que realmente quieren decir es que no saben cómo cambiar sus vidas, no tienen el coraje para lograrlo, no saben cómo conocer su propósito, o simplemente se quedan mirando desde lejos, solo deseando «eso que tú tienes». Si te has encontrado haciendo, una y otra vez, cosas que sientes que no tienen sentido, no te preocupes, te entiendo; yo pasé por lo mismo. Me gustaría contarte una experiencia y enseñarte un ejercicio muy sencillo que me ayudó a entender cuáles son mis dones y talentos, para alinearme y ponerlos en función.

Cuando comencé a cuestionarme acerca de la profesión que ejercía, aunque me encantaba, se estaba creando en mí cierta insatisfacción. Es ese punto culminante al que debes prestar atención para seguir el camino del autodescubrimiento. Es decir, aunque lo tenía todo, sabía que me faltaba algo; no conocía mi propósito. Esto fue determinante para descubrir lo que me apasionaba y lo que, tiempo más tarde, me llevaría a conectar con los planes de Dios. Un viernes por la tarde, mientras me encontraba en la oficina trabajando, recibí una llamada de una amiga invitándome para ir a un concierto cristiano. Acepté la invitación y, en medio de la presentación, el cantante comenzó a narrar su testimonio. Mientras él hablaba pude entender el principio que el Señor me estaba enseñando: Necesitaba tener un propósito que fuera el motor en mi vida; algo que, día a día, me impulsara para seguir hacia adelante. Mi gusto por la vida estaba cambiando, al igual que la manera de ver las cosas. Había una batalla interna que estaba siendo librada a mi favor. No tenía que ver con mi don; tenía que ver con mi propósito.

**Tu talento necesita conectarse con el propósito para que puedas andar en armonía.**

Cuando comencé a escuchar la estrategia que el cantante utilizó para darse cuenta de lo que latía en su interior y lo que le apasionaba, quedé fascinada. Consistía en un proceso introspectivo muy sencillo, pero que requiere determinación y disciplina, porque se necesita llevar de la razón a la acción. Esa noche, al regresar a mi hogar, tomé papel y lápiz y comencé a escribir lo que ahora te quiero compartir y que en este capítulo será nuestro

## Plan de acción

Ejercicio de encuentro y enfoque:

Enumera lo que te gusta hacer

_____

_____

_____

_____

_____

Lo que necesitas aprender

_____

_____

_____

_____

_____

Lo haces bien

_____

_____

_____

_____

_____

Este ejercicio me pareció genial. Me ayudó a definir mis prioridades de acuerdo con lo que enciende el motor en mi interior, que a su vez, está alineado a los propósitos del Padre.

Luego entendí que necesitaba ir al «lugar secreto» de manera intencional, para buscar la sanidad, el consejo, la revelación y la dirección que solo viene del Padre, a través de su Palabra. Creo en los consejeros, pero para ser más efectivo debes cultivar tu tiempo a solas con el Padre, tal como nuestro Señor Jesús lo hizo en la tierra. Es el lugar donde serás entrenado y capacitado en los asuntos del Reino de Dios.

A continuación te comparto la parte práctica. Son tres consejos que yo implementé en mi vida y que me han ayudado a ser asertiva en mis decisiones y a mantener un estilo de vida balanceado.

## Consejo No. 1: Invierte tiempo en ti

**Volver al principio te conecta con tu propósito.** Es decir, cuando pases tiempo descubriendo y entendiendo los tesoros que portas en tu interior, te darás cuenta de que hay cargas muy pesadas que necesitas soltar.

La voluntad del Padre es que camines en libertad, de adentro hacia afuera, porque eres portador de Su mentalidad que produce vida. Atrévete a dejar el lugar seguro para conocer tu origen.

Recuerda que el Espíritu Santo te acompaña en tu travesía por la vida. Es tu regalo, de parte de Dios, para ayudarte en el proceso de transformación.

Por eso, dedica los primeros minutos del día para construir hábitos saludables que impacten tu estilo de vida.

1. Saca tiempo a diario para leer la Palabra.
2. Ora.
3. Medita intencionalmente, enfocado en tres áreas:
   - El principio que la Palabra te está enseñando.
   - Las oportunidades de mejoras que necesitas sanar y entregar al Señor.
   - Practica la gratitud y sonríe.
4. Ejercita tu cuerpo.
5. Desarrolla hábitos alimentarios saludables.

## Consejo No. 2: Planifica

Es de sabios planificar y actuar, de manera intencional, en lo que va a producir vida en ti. Con ello te volverás ágil y astuto y serás entrenado en el dominio propio para manejar tus asuntos; por lo tanto, no serás marioneta de nadie. Luego de haber identificado las oportunidades de crecimiento en las distintas áreas de tu vida como alma (emociones), espíritu y cuerpo, comprométete en avanzar, un paso a la vez, con metas realistas a corto plazo.

1. Establece un plan de trabajo personal.

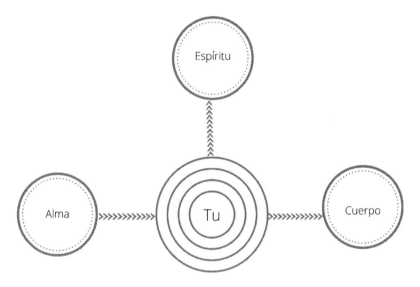

- Enumera una meta para trabajar en cada área. Debe ser un máximo de tres.

**Meta personal**

Espiritual_____

Alma_____

Cuerpo_____

2. Utiliza herramientas que te ayuden en el proceso.
   - Usa un calendario digital o manual.

- Ponte alarmas o recordatorios.
- Consigue libros relacionados con las áreas que quieres mejorar.
- Escucha música que te edifique.
- Utiliza apps o aplicaciones para gestión.
- Establece un lugar en tu hogar que se convierta en tu espacio de oración y lectura.
- Busca un grupo donde te puedas conectar para compartir tu proyecto de vida.

3. Promueve una conversación familiar con los integrantes de tu hogar cuyo objetivo es lograr su apoyo.
- Explícales tu proceso de manera sencilla.
- Comunica que necesitas de su ayuda para lograrlo. Provoca que ellos sean parte de tu transformación.
- Da las gracias.

### Consejo No. 3: Estructura

- Si no tienes un círculo familiar cercano, busca amigos que te acompañen en tu proceso.
- Crea una estructura de vida que te permita crecer y ser intencional. Sé consciente de que cometerás errores en el desarrollo. Es parte de la formación, que eso no te detenga y sigue hacia adelante.
- Rodéate de personas que te impulsen a la meta. Tomar decisiones acerca de tus relaciones.
- Busca ayuda profesional, si es necesario.
- Disfruta del amor del Padre y todo lo bueno que tiene para ti. Esto es de valientes y solo los que edifican desde el fundamento pueden cambiar el rumbo de su vida.

- Enfócate. Recuerda que la distracción te desconecta de tu propósito.
- La pasividad es muy peligrosa, necesitas activar tu identidad de hijo para que puedas conquistar lo que está destinado para ti.
- Vuelve al lugar secreto, donde nadie te ve, pero donde todo comienza.

*«Por lo tanto, yo no corro sin propósito, sino que voy derecho a la meta; no golpeo a ciegas, sino que intento hacer que cada golpe sea efectivo».*
*(1 Corintios 9:26, Nuevo Testamento Judío)*

## En resumen...

La determinación te llevará a conquistar tu posición en el Reino de Dios y tu firmeza será el motor que encenderá la vida de muchos.

Cuando asumas tu responsabilidad como hijo entenderás que tienes un legado que dejar a la humanidad. Cosas mayores que hizo nuestro Señor Jesús Cristo son las que tú también harás, si lo crees y te conviertes en un faro de luz que alumbra el camino al perdido en la oscuridad.

Te invito a vivir los mejores años de tu vida en perfecta armonía con tu diseño original.

## Oración

*Gracias, Señor, por amarme tanto y por siempre estar presente en cada detalle de mi vida. Reconozco que eres real y hoy decido cumplir tu llamado en mi vida. Ayúdame a permanecer en tu camino y a conocerte cada día más. Enséñame tu Palabra para que mi corazón pueda dar el fruto que esperas de mí. Quiero vivir una vida plena y en armonía con tu Espíritu Santo. Te entrego todo mi ser. Hágase tu voluntad en mi vida. Amén.*

# Epílogo

## Carta de la autora

Espero que este libro haya sido un instrumento para acercarte más a Dios y por consiguiente, al inicio del autodescubrimiento de tu propósito y proyecto de vida. A medida que valores quién eres y te des el permiso para recibir la sanidad en tu ser interior, tu mente estará apercibida de la dirección del Señor. Este es el primer paso para el crecimiento de tu vida.

La voluntad de Dios es que vivas en armonía con Él, contigo y con el prójimo; ese es el estado más hermoso que puedas experimentar. Las dificultades de este mundo caído son reales; pero tu vida, en las manos del Señor, está en el refugio correcto. A veces el propósito es confundido con obras humanas y ciertamente tenemos una misión; pero tu llamado consiste en consumar la vida que proviene de Él en ti. La vida existe y es real. Todo lo que he compartido ha sido parte de mi crecimiento espiritual y emocional. He vivido temporadas muy duras, pero Dios ha sido muy bueno y fiel. Ha cumplido sus promesas y hoy lo puedo compartir contigo.

El Señor te anhela porque eres su hijo y te ama con amor eterno. Permite que la Palabra de Dios se haga viva en tu corazón; corre la buena carrera de la fe. Tu firmeza y dedicación será de inspiración para que otros puedan encontrarse con el amado de sus vidas. Él te ha entregado lo más hermoso y valioso: su Santo Espíritu. Ámalo, respétalo y depende de Él en todo tiempo. No confíes en tu inteligencia ni en tus talentos. Clama cada día por la sabiduría del cielo para conquistar en la tierra.

Los tiempos son malos. Edifica tu vida con Su Palabra.

.

*«Cuando Israel era muchacho, yo lo amé, y de Egipto llamé a mi hijo. Cuanto más yo los llamaba, tanto más se alejaban de mí; a los baales sacrificaban, y a los ídolos ofrecían sahumerios. Yo con todo eso enseñaba a andar al mismo Efraín, tomándole de los brazos; y no conoció que yo le cuidaba. Con cuerdas humanas los atraje, con cuerdas de amor; y fui para ellos como los que alzan el yugo de sobre su cerviz, y puse delante de ellos la comida». (Oseas 11:1-4)*

¡Te bendigo en el nombre de Jesús! La paz sea contigo.

Con amor, *Symbia*

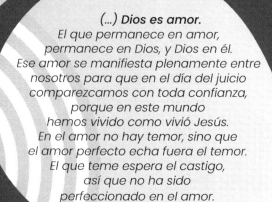

*(...) Dios es amor.*
*El que permanece en amor,*
*permanece en Dios, y Dios en él.*
*Ese amor se manifiesta plenamente entre*
*nosotros para que en el día del juicio*
*comparezcamos con toda confianza,*
*porque en este mundo*
*hemos vivido como vivió Jesús.*
*En el amor no hay temor, sino que*
*el amor perfecto echa fuera el temor.*
*El que teme espera el castigo,*
*así que no ha sido*
*perfeccionado en el amor.*

*«Nosotros amamos porque*
**Él nos amó primero.**
*Si alguien afirma: "Yo amo a Dios",*
*pero odia a su hermano,*
*es un mentiroso; pues el que*
*no ama a su hermano, a quien*
*ha visto, no puede amar a Dios,*
*a quien no ha visto. Y él nos ha*
*dado este mandamiento:*
*el que ama a Dios, ame*
*también a su hermano».*
*(1 Juan 4:16-21)*

## *Acerca de la autora*

**SYMBIA DÍAZ** es una apasionada por Dios, Su Palabra, y por los encuentros intencionales con el Señor Jesús. Es una mujer decidida a activar e inspirar a las personas para que encuentren el propósito de sus vidas mediante una relación profunda con su Creador.

Original de Puerto Rico y residente de Florida, Estados Unidos; realizó sus estudios en Administración de Empresas, con una especialidad en Mercadeo. Tras una carrera profesional muy exitosa, trabajando para compañías multinacionales como Avon, Gerber y 3M; Symbia decidió ir tras su sueño y cumplir su propósito, tomando el camino del emprendimiento. Actualmente, además de ser una madre dedicada y una apasionada escritora, se desempeña como consultora experta en mercadeo, empresaria, Coach de Vida y dueña de una boutique de ropa en línea, **www.zymbia.co.**

En su trayectoria profesional, Symbia se destacó por su experiencia en el desarrollo y ejecución de programas integrados de mercadeo, creación de estrategias,

mercadeo digital, modelos de negocios y posicionamiento de marcas, por lo que fue reconocida y galardonada con distintos reconocimientos, como:

- Avon Company - *Premio del Gerente General por crecimiento*
- Gerber Company - *Trade Marketing Manager Recognition*
- 3M Walmart Team *"Vendor of the Year"* – 2008 & 2009
- 3M E-Business LATAM – 2011 Best Practices Campaign

Además de certificaciones, como:
- Green Belt Six Sigma Cert.
- Customer Selling Focus Cert.
- Competitive Intelligence Cert.
- War Gaming Cert.
- Building Winning Brands Cert.
- Consumer Excellence Cert

En su rol de Marketing Excellence Manager, en la compañía 3M, sirvió de facilitadora en la capacitación de la comunidad de mercadeo y dirigió el proceso de desarrollo de planes estratégicos para las cinco unidades de negocios. En adición, el departamento que lideraba trabajaba activamente con la comunidad de mercadeo, en los análisis de inteligencia del mercado, comunicaciones *(online y offline)*, análisis y estructura de precios por valor, y eventos.

Además, en su amplia experiencia laboral, tuvo la oportunidad de trabajar en otros mercados fuera de su país, como: Hawaii, Alaska, Guam, Caribbean Islands,

LATAM y desarrollo de productos para mercados hispanos en Estados Unidos.

*«Sin embargo, mi prioridad es mi familia»*, afirma la autora. *«Aprendí a tomar decisiones basadas en mis prioridades y siempre cuidando el depósito del Eterno en mí como una responsabilidad con mucho peso y valor».*

En cuanto a su vida espiritual y ministerial, empezó a la edad de 21 años, cuando conoció y fue transformada por el Señor. Fue líder del ministerio de danza con jóvenes, adiestrándose en PR y los Estados Unidos. Sirvió como maestra de Escuela Dominical para niños entre las edades de 6 a 10 años, y es producto del discipulado, que ha sido parte de su formación. Actualmente, continúa capacitándose para profundizar en la comprensión de las Escrituras desde su contexto histórico y lingüístico.

En el propósito de vida de Symbia, su amor por servir a las personas y ayudarles a hacer cambios que eleven sus vidas hasta su máximo potencial, se extendió para ser vehículo de transformación. Por eso se preparó para convertirse en Coach de Vida (*Life Coach*) certificada, credencial que recibió mientras terminaba la producción de este libro.

*«Creo en la transformación de las personas, enfocándonos en una vida a la vez. Esto me describe como hija de Dios en funciones aquí en la tierra. Me es muy fácil servir donde sólo Dios ve, y ayudar a las personas sembrando una Palabra que los edifique en el tiempo preciso. Esto es parte de mi estilo de vida. Mi corazón late por la próxima generación. Esta es la cultura de amor que el Señor quiso sembrar en su paso por esta tierra, la cual se resume de esta manera:*

*«Si hablo en lenguas humanas y angelicales, pero no tengo amor, no soy más que un metal que resuena o un platillo que hace ruido. Si tengo el don de profecía y entiendo todos los misterios y poseo todo conocimiento, y si tengo una fe que logra trasladar montañas, pero me falta el amor, no soy nada. Si reparto entre los pobres todo lo que poseo, y si entrego mi cuerpo para que lo consuman las llamas, pero no tengo amor, nada gano con eso». (1 Corintios 13:1-3)*

# ¿CONOCES TU PROPÓSITO?

Si después de leer este libro, tomaste la decisión de darle un vuelco a tu vida y necesitas una estrategia para implementar cada uno de los planes de acción, quiero invitarte a que visites mi página:

## www.symbiadiaz.com

Allí vas a encontrar la formación, herramientas y estrategias que necesitas, para ayudarte en la transformación que estás buscando.

Los recursos que encontrarás son tan dinámicos, que van a ser efectivos para ti, incluso si no te gusta leer y nunca has querido hacer un proyecto de desarrollo personal, focalizado en estrategias de crecimiento.

## Tu nueva vida está esperando por ti, ve por ella AHORA

# Haz CRECER tu vida con PROPÓSITO

¿Te han gustado los principios que has aprendido en este libro?

PUES SUSCRÍBETE a mi PODCAST
## SYMBIA DIAZ PODCAST

Allí comparto experiencias de vida, contenido exclusivo, entrevistas y los secretos e ideas más innovadoras para ayudarte a crecer, integral e intencionalmente.

Inscríbete GRATIS

Made in the USA
Columbia, SC
01 April 2022

58392757R00133